9788972994756

_____ 님께 드립니다.

어른이고 싶은 날

아빠의 그림자

어른으로 산다는 것.

미래문화사

나는 늘 어른이 되고 싶었다

겉으로는 평온하고 굴곡 없이 유년시절과 청소년기를 보냈지만 마음속에는 늘 거센 파도가 일었다. 불확실한 미래에 대한 고민에서 탈출하고 완숙하고 안정감 있는 인생을 살고 싶었다. 어른이 되면 자동적으로 그리 될 줄 알았다.

어른이라고 할 만한 중년이 되어 보니 이 시기가 결코 젊은 시절보다 만만한 것은 아님을 느낀다. 세상을 알아갈수록 힘들고 어려운 일들이 더 많아짐을 깨닫게 된다. 미래에 대한 불확실성은 더욱 커지고 이로 인한 불안감이

늘 따라다닌다. 그러나 연륜과 경험이 쌓여가도 여전히
사춘기 시절의 감성을 간직한 소년이 마음 한켠에 자리
잡고 있음을 느낀다.

흔히 낀 세대라고 불리는 중년이란 참 묘한 시기다. 젊은
시절 꿈꿔왔던 것들을 내려놓기에는 너무 이르고, 그렇
다고 새로운 꿈을 꾸기에도 애매한 나이다. 젊은 시절 맞
닥뜨렸던 어려움과는 비교도 안 될 일들이 수시로, 심지
어 한꺼번에 밀려오기도 한다. 갈수록 빠르게 느껴지는
시간의 흐름 가운데서 조급해지기도 한다.

그래도 여전히 꿈을 꾸고 있다. 함께 행복하게 사는 것이 진짜 행복이라는 생각 속에 주위 사람들에게 해피바이러스를 퍼트리려 노력하며 열심히 살고 있다.

이 글들은 자기 자리를 지키려고 고군분투하지만 사실은 누구보다 외롭고 위로가 필요한 어른들을 위한 토닥토닥 프로젝트이다. 사회적으로는 반듯하게 체면을 차려야 하고, '아프다'고 아우성치는 청춘들도 위로해줘야 하며, 나이를 먹을 만큼 먹었는데도 아직 어르신들의 눈치를 봐야 하는 사람들의 마음 털어놓기의 장이다.

이 책에는 일상에서 누구나 흔히 겪는 소소한 이야기들이 담겨 있다. 특히 가족에 관한 에피소드가 많이 등장한다. 이 글들을 통해 '맞아, 맞아, 정말 그래', '이렇게 생각

하는 사람들이 또 있구나', '이 세상에 나 혼자 던져진 것
은 아니었어'라고 느끼며 살짝 미소와 함께 힘과 위로를
얻을 수 있기를 소망한다.

인생의 가장 큰 선물이자 영원한 내 편인 가족이 있어서
삶의 무게를 너끈히 견딜 수 있음을 고백한다. 산처럼 늘
든든한 부모님과 평생친구인 사랑하는 아내, 별처럼 아
름다운 딸과 아들에게 감사와 사랑의 마음을 전한다.

우리는 모두 행복을 누릴 자격이 있다.

목 차

#1 맑은 날

#2 흐린 날

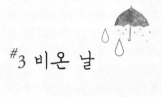

#3 비온 날

#4 개인 날

맑은

날

어른도 때로는
울고 싶다

✉ **외롭다.**

친구의 뜬금없는 문자를 받자마자 부리나케 달려갔다.
수년간 기러기아빠 생활을 했지만 집은 깔끔하게 정리되
어 있었고 혼자 밥도 해먹지 않으니 주방은 아예 사람 손
을 한 번도 타지 않은 것 같았다. 집안이 너무 깨끗하니
오히려 정나미가 떨어졌다.

편의점에서 사 간 소주를 한 잔 따라주었다.
"인마, 넌 술도 안 마시면서 술을 사왔냐."
아무 말 없이 서너 잔 들이키더니 갑자기 컥컥 울기 시작
했다.

"다 늙어서 울긴… 그래 울어라 울어. 한바탕 울면 속이
좀 편해질 거다."
별 말 없이 소주 두 병을 다 따라주고 나서야 집으로 돌
아왔다. 자고 일어나니 친구에게 문자가 와 있었다.

✉️ **고맙다. 그래도 엄청 후련하다.**

사춘기 시절에는 굴러가는 낙엽만 봐도 갑자기 슬퍼진다
고 하지만 정작 나이가 드니 눈물이 많아진다. 주책없이
쏟아지는 눈물 때문에 슬픈 드라마나 다큐멘터리도 가족
과 함께 보지 못하고, 감동적인 영화를 보러 가기도 꺼려
진다. 그동안 참고 살았던 눈물이 도대체 얼마이기에 이
리도 차고 넘치는 걸까. 나갈 곳을 봉쇄당한 울음이 가슴
속에 차곡차곡 쌓여 시커먼 멍이 들었다.

그래도 얼마나 다행인가.
한바탕 울고 나면 속이 좀 시원해지니 말이다.

강냉이 한 봉지

내가 사는 아파트 초입 모퉁이에는 한 할머니가 여러 가지 채소와 강냉이를 벌여놓고 장사를 하신다.

하루는 퇴근 후 집에 돌아오는 길, 아파트 입구가 소란스러웠다. 구청에서 단속을 나와 물건을 모두 트럭에 실으려 하고 있었다. 할머니가 사정사정 하며 말리다가 큰 통이 엎어지면서 강냉이 봉지들이 바닥에 쏟아졌다. 그래도 할머니는 물건들을 빼앗기지 않으려고 안간힘을 썼다. 아무리 안간힘을 써도 장정 서넛을 당해내기는 어려워 보였다.

그때 지나던 노신사 한 분이 땅바닥에 널브러져 있던 강냉이 한 봉지를 들고는 할머니가 허리춤에 차고 있던 전대에 지폐를 넣었다. 그리고 이어서 아주머니 한 분도 강냉이 한 봉지를 들고는 할머니께 돈을 건넸다. 유모차를 끌고 가던 젊은 엄마도, 학원에 다녀오는 듯한 한 고등학생도, 그리고 이 광경을 지켜보던 많은 사람들이 똑같은 행동을 했다.

행인들이 바닥에 널브러진 강냉이 봉지를 집어 들고 할머니에게 강냉이 값을 내는 동안 단속 나온 사람들도 조금 물러서 바라볼 뿐 별다른 제지를 하지 않았다. 일부러 시간을 주고 있는 것 같았다. 누구도 말을 하지 않았지만 누구나 같은 생각을 하고 있었던 것이다. **모퉁이를 돌아 아파트 현관으로 들어서는 내 손에도 강냉이 한 봉지가 들려 있었다.**

아뿔싸

하늘이 무너지는 느낌이었다. 분신 같은 스마트폰을 집
에 두고 온 것이다. 막 도착한 지하철에 타고 나서야 알
았다. 중요한 약속이 연이어 있는 날이었다. 다시 돌아가
서 가져오려면 시간이 부족했다. 불안하고 초조해졌다.
마치 발가벗은 채 사람들이 분주하게 오가는 시내에 놓
인 것 같았다. 초행길이던 약속 장소를 미리 알아둔 것이
큰 도움이 되었고 이래저래 노심초사한 끝에 실수 없이
겨우 일정을 마감하고 집에 도착했다.

사막을 횡단하고 시원한 냉수를 찾듯이 스마트폰부터 확
인했다. 중요하지 않은 몇 통의 전화, 문자, 메신저, SNS
댓글 들이 들어와 있었다. 반나절 동안 내가 답을 하지

않았다고 문제가 되는 것은 하나도 없었다.

생각해 보면, 스마트폰이 없어서 오늘 만난 분들과의 대화에 더 집중할 수 있었고, 지하철 안에서 몇 명이 책을 읽고 있었는지 셀 수 있었고, 요즘 여성들 사이에서 유행한다는 레인 부츠도 감상할 수 있었다. 스마트폰이 없어서 조금 덜 스마트하게 살았지만 오늘 하루만큼은 색다른 휴가를 보낸 기분이다.

이크!

지금도 난 이 글을 스마트폰 메모장에 쓰고 있다.

응답하라
그때 그 시절

힘든 일이 유독 많았던 날 퇴근길에 우연히 켠
라디오에서 장혜리의 '내게 남은 사랑을 드릴
게요'가 흘러나왔다. 스무 살 무렵의 감성이
꿈틀거리며 되살아나 길 옆에 차를 멈추고 음
악을 듣는데 신승훈의 '미소 속에 비친 그대',
고은희, 이문세의 '이별이야기', 그리고 푸른하
늘의 '겨울바다'까지 연이어서 흘러나온다. 온
몸에 힘이 빠지며 감성이 말랑해지는 느낌에
그렇게 한참을 차 안에서 노래를 듣고 있었다.
작가 박완서 선생님처럼 아름다운 자연에서
어린 시절을 보내지도 않았고, 조정래 선생님
처럼 민주화의 풍화를 몸소 겪지도 못한 세대

라 내 감성은 차디찬 아스팔트 위의 방황과 교과서에 나온 수필들, 그리고 세계문학전집의 틀 속에서 형성되었다. 1980~1990년대 유재하, 조하문, 신승훈, 변진섭, 이문세의 노래를 통해, 드라마 〈응답하라〉 시리즈에 삽입된 음악들을 통해 내 감성이 자라난 듯하다. 지금도 가끔 TV 프로그램에서 노래 잘 하는 아이돌 가수들이 그 노래들을 부르곤 하지만 스무 살 남짓한 아이들이 우리 세대의 감성을 이해할 수도, 그 감성을 고스란히 불러낼 수도 없는 일. 그 시절을 함께 보냈던 오랜 친구들과 노래방에 가서 밤이 새도록 정겨운 노래를 부르고 싶다. 다시 시동을 켜고 집에 돌아오는 길, 엑소의 신곡을 찾아 듣고 있다.

딸아이와의 대화를 위해서.

세상에
지는 것 같아서

급한 업무가 없어도 퇴근 후 늦게까지 남아서 이 일 저 일 찾아서 했다. 혼자 도태될 것 같아서 퇴근 후 집에 와서도 컴퓨터를 켜고 이메일과 자료 작성에 매달렸다. 그래도 불안해서 주말까지 일을 만들어 사무실에 나가고, 공휴일엔 별일이 없어도 한 번씩 회사에 들러서 컴퓨터를 켜 보곤 했다.

어느 날은 밝을 때 퇴근하니 집 근처 도랑에 핀 이름 모를 꽃들이 눈에 들어온다. 이름 없는 꽃이 아니라 내가 이름을 미처 알지 못한 꽃들이겠지. 이름을 아는 꽃은 몇 개 안 되지만 허리 굽혀 들여다보니 요모조모 참 예쁘다.

모처럼 낮 시간에 집에 있으니 평소에 온통 검은 색이라 느꼈던 내 집 주위가 들고 나는 사람들의 생명력으로 가득했다. 십 년 동안 살고 있는 아파트지만 온통 낯설게 느껴진다. 전등도 켜지 않고 책을 읽고 있는 거실 빛의 질감이 못내 어색하다. 가장 큰 변화는 부쩍 커버린 아이들이다. 퇴근 후 함께 놀아주지 않아도, 밤늦게 도란도란 이야기를 나눠주지 않아도 전혀 서운해하지 않는다. 오랜 시간 함께 있으니 오히려 서로가 어색해진다. 세월을 잃어버린 기분이다. **소소한 행복을 모르고 살았던 것이 진짜 세상에 지는 거였구나.**

소중한 추억

다방구, 오징어, 38선, 딱지치기, 구슬치기, 얼음땡, 술래잡기, 고무줄놀이, 야구, 축구, 짬뽕, 땅 따먹기, 망까기, 지우개 따먹기….

내가 아들 녀석 나이에 골목에서 뛰놀 때 즐기던 놀이들이다. 어릴 적 할머니의 일제강점기시대 이야기를 듣던 것처럼 이젠 어른들의 옛 이야기 속에서나 어울릴 법한 단어들이 되었다. 이 모든 놀이들이 이루어지던 곳은 집 앞 골목이다. 밥을 먹고 나가면 늘 친구들이 있고, 놀다 지치거나 엄마가 밥 먹으라 부르면 들어왔다가 또 나가 놀고, 누구누구 집 가릴 것 없이 아무 아주머니나 "배고프지? 들어와서 밥 먹고 놀아라"라고 하시면 내 집처럼 거리낌 없이 들어가서 밥을 먹고 나와서 또 놀던 골목길. 자동차도 안 다니고, 골목 어귀 평상에서 늘 아이들 노는 모습 지켜보며 이웃 간에 정을 쌓으시던 아주머니들이 누구랄 것도 없이 아이들의 보호자 역할을 하시던 곳, 그래서 부모들도 아이들이 골목에서 놀면 아무 걱정도 하지 않았던 시절. 추억을 곱씹으며 찾아간 그 골목길.

수십 년이 지나도 친구들과 놀던 그 골목길 풍경과 그 시절 놀이들이 내 마음 속에 이리 애틋한 추억으로 새록새록 떠오르는데, 우리 아이들은 내 나이가 되었을 때 어떤 추억을 떠올릴까. 각종 학원의 쉬는 시간과 귀가용 차량에서 나눈 이야기들, 핸드폰과 SNS 그리고 각종 모바일 게임들이 아이들의 추억으로 남을 것이다.

우리는 치열하게 스펙만을 쌓고 사는 동안 아이들의 소중한 추억거리는 사라지고 있다.

숨비소리

'쉬호이, 쉬호이.'

해녀들이 물질을 마치고 물 밖으로 올라와 가쁘게 내쉬는 숨소리다. 휘파람 소리가 섞인 이 거친 숨소리는 절체절명의 위기에서 삶으로 돌아오는 생명의 의성어다. 죽음처럼 거칠고 시커먼 바다 속에서 작업을 한 뒤 물 위로 급히 올라와 몸속의 이산화탄소를 한꺼번에 내뿜고 산소를 들이마시는 소리다. 숨이 턱까지 차오를 때까지 버티고 버티다 지상의 공기를 들이마시는 그 찰나의 순간, 그때의 에너지로 해녀들은 물질을 이어간다. 심장 가장 깊은 곳에서 나오는 이 짧은 비명 같은 소리로 숨을 토해낸후 두려움 없이 다시 더 깊은 물속으로 뛰어 들어간다.

유난히 고된 하루를 보낸 어느 날 새벽, 나도 모르게 숨비소리 같은 거친 호흡을 내뱉는 순간 어디서 많이 들어 보던 소리임을 알아챘다. 밤늦게 귀가하신 아버지가 방에도 들어오지 않고 툇마루에 걸터앉아 내뱉던 소리다. 어머니가 잠든 삼 남매 머리맡에서 숨죽이며 내뱉던 소리다.

숨비소리는 이 땅의 부모들이 속으로 속으로 참고 삭이며 내뱉는 소리다. 이 짧은 외마디 호흡으로 에너지를 얻고 다시 시커먼 세상 속으로 거침없이 뛰어 들어간다. 부모님이 참았던 숨을 한꺼번에 몰아 내쉬던 그 숨소리가 가슴 저미도록 생각난다. 그 소리 덕분에 내가 편히 살아온 것임을 이제야 깨닫고 있다. **이젠 내 입에서도 숨비 소리가 나는 것을 보니, 나도 어른이 되어 가는가 보다.**

그냥 좋은 날

모처럼 한가한 오전 시간에 조용한 카페를 찾았다. 향긋한 커피와 책 한 권 꺼내 들고 볕 잘 드는 한 쪽 구석에 앉았다. 그렇게 나만의 봄날을 즐기려는 찰나였다.

"이리로 와. 여기가 조용하겠다."
정적을 깨고 엄마들 넷이 우르르 들어와 내 대각선 방향에 자리를 잡는다. 기껏 조용한 곳을 찾더니 수다 삼매경이 시작된다. 책을 읽기는커녕 커피가 어디로 들어가는지도 모르겠다. 그 좋던 커피향도 사라져버렸다. 그런데 듣고 있자니 신기한 것은 네 명이 큰 소리로 동시에 말한다는 것이다. 그러면서 박장대소하며 좋아라 박수도 친다. 모두 즐거워 보인다.
'살림에 육아에 각종 스트레스가 가득일 텐데 저렇게라도 풀어야지.'

어느 순간, 묘하게 나도 그녀들의 수다에 몰입하게 된다. 눈은 책에 가 있지만 귀는 어느새 저쪽에 가 있다. 재미나서 다음 이야기가 궁금해진다. 그녀들이 모두 폭소를 터뜨리는 순간 그만 나도 빵 터져 웃어버리고 말았다. 창피하여 글 한 줄 제대로 읽히지 않고 멍하니 앉아 있자니 민망하여 주섬주섬 책을 챙겨 절반도 못 마신 커피를 그냥 두고 카페를 나섰다.

봄볕이 참 좋다.

# 나는 어떤 사람일까

어느 시골길에서 아름다운 들꽃을 만났다.
너무 예뻐 사진도 찍고 요모조모 들여다보았다.
개망초다.
'화해'라는 꽃말을 지닌 개망초는 차로 마시면 열을 내리
는 데 그만이라고 한다. 그런데 농부들에게는 당장 제거
해야 할 잡초일 뿐이란다.

이름도 엄연히 있는데
이름 모를 잡초가 아닌데
저렇게 예쁜데

서 있는 곳에 따라 미소를 머금게 하는 예쁜 꽃이 되기도
하고 누군가에게는 눈엣가시 같은 잡초가 되기도 한다.

자기소개서

신입사원들의 면접을 보게 되었다. 잠시 나의 구직 시절을 떠올렸다. 고정적인 월급이 나오는 직장을 구하기 위해 2년 정도 갖은 애를 쓰던 때가 있었다.

그 시절에 쓴 이력서와 자기소개서는 책 분량으로 몇 권은 됨직하다. 무덤처럼 들어가면 소식이 감감한 또 하나의 회사에 지원서류를 보내기 위해 작성해 놓은 자기소개서를 무심코 바라보았다. 아무리 해도 제대로 한 페이지조차 채우기 힘들어 상당한 여백을 남겨 두고 있는 한 장의 내 소개서. 그리 열심히 살았는데 한 페이지를 다 채우기 힘들다니….

앞으로는 이 여백을 채우며 살게 되겠구나.

자기소개서를 쓸 때마다 드는 생각이 있다.
'나는 누구인가?'

이 작은 한 장의 종이조차 다 채울 수 없는
내 인생은 과연 무엇이란 말인가? 여러 권
의 책을 썼는데도 나를 다 담지 못했는데
달랑 한 장의 종이에 나를 담으려는 노력이
가능하기나 한 것인가? 내 자기소개서를
보는 사람은 나를 어떻게 여길까? 내 자기
소개서를 보고 나를 떨어뜨린 수많은 인사
담당자들에게 말하고 싶었다.
'나 같은 인재를 떨어뜨리면 당신들이 엄청
손해 보는 거라고.'

그 시절 기억 속에 잠겨 있다 마음을 끄는 자기소개서를 발견했다. 힘든 환경이었지만 성실하고 치열하게 살아온 삶이 기특하고 애틋했다. 들어오고 싶은 회사에 입사해 그간의 노고가 조금이라도 보상이 되었으면 하는 마음이 드는 순간 내 눈에 한 문구가 들어왔다.

●
●
⋮

제가 ○○건설에 입사할 수 있다면 저는….

근사한 자기소개서의 말미에 회사 이름을 잘못 표기해 놓은 것이다. 여러 곳에 지원을 하면서 미처 확인을 못했으리라. 결국 그는 기회를 얻지 못했다. 인생은 한 장의 종이는커녕 한마디 단어에 의해서도 좌지우지 되는 것이었다.

칼날 같은 인생 위에 선 위태한 걸음걸이,

그것이 인생의 단면이다.

저 취직했어요

12시가 다 된 시간에 왕십리역에서 뜸해진 지하철을 기
다리고 있는데 앳된 얼굴의 한 젊은 여성이 말을 건넨다.
"저… 혹시 마천행 막차 끊겼나요?"
"아니요. 저도 지금 그 차 타려고 기다리고 있어요."
"아, 다행이다."

활짝 웃는 미소와 함께 술냄새가 확 풍겨왔다.
"사실 제가 오늘요…."
술에 취한 그녀가 계속 말을 걸어왔다.
"오늘 첫 출근했는데요, 저 환영해준다고 회식을 했는데
요. 저는 술을 잘 못하는데 거절을 못해서요…."
무려 2년간 취업준비를 했고 드디어 원하던 회사에 입사
하게 되었다고 한다. 너무 기뻐서 누구에게라도 말하고

싶었다는 것이다. 혀는 꼬부라졌지만 천천히, 또박또
박 말을 이어갔다. 사는 곳을 물으니 그녀는 나보다 두
정거장을 더 가야 했다. 술에 취한 것이 걱정이 되어
그녀의 어머니와 직접 통화를 해 예상 도착시간을 알
린 후 역으로 마중을 나오는 것이 좋겠다고 전했다.

요즘처럼 취업이 어려운 시기에 얼마나 기쁠까, 얼마
나 좋을까, 어머니와 가족들은 얼마나 기다리던 소식
이었을까. 마음고생 한 만큼 사회생활을 잘 해나가길
마음으로 빌었다.

되돌리고 싶은 하루

시간에 쫓겨 서둘러 출근하는데 회사 건물 앞에서 한 할머니가 불쑥 전단지를 내민다. 각종 전단지의 홍수가 짜증나 거들떠보지도 않고 사무실로 들어섰는데 팀원들 책상 위에 전단지가 모두 놓여 있다.

일이 많았던 일과를 마치고 퇴근길에 탄 지하철, 용케 자리에 앉았는데 연세가 그리 많아 보이지 않는 할아버지 한 분이 내 앞으로 다가온다.
'오늘처럼 피곤한 날 왜 하필 내 앞에….'
주저주저 하고 있는데 건너편 학생이 자리를 양보한다.

집에 들어가기 전, 동네 사우나에 들러 몸을 지지고 나오는 데, 휠체어에 탄 장애인 한 분이 사우나로 들어가려고 꽤 높은 턱 앞에 서 애를 쓰고 있다. 모른 체하고 나오는데 나이가 지긋한 중년신사가 휠체어를 밀어서 안으로 안내한다.

고단한 하루를 마치고 누워서 눈을 감았더니 오늘 내가 지나쳤던 사람들의 모습이 파노라마처럼 떠오른다.
내 몸 하나 건사하려고 모른 척 외면했던 순간들을 생각하니 부끄럽고 후회가 밀려온다.

체면이 뭐라고

내게 책 읽기 가장 좋은 장소는 지하철이다.

지하철은 자잘한 소음에 적당한 흔들림, 그리고 방해받지 않는 적당한 공간을 제공해 준다.

여느 때와 마찬가지로 책을 꺼내 읽고 있는데 옆자리 아주머니가 말을 붙였다.

"요즘은 다들 스마트폰 들여다보는데 지하철에서 책 읽는 사람 오랜만에 보네요."

그 말을 듣고 나니 책을 덮을 수가 없었다.

더 이상 글자도 눈에 들어오지 않았고, 아주머니가 내릴 때까지 핸드폰을 확인하는 것조차 불편해서 할 수가 없었다. 오늘따라 지하철이 더디가는 느낌이다. 아주머니는 결국 나와 같은 역에서 내렸다.

일본인 관광객

올림픽공원역에서 한 일본인 부부가 인사동으로 가는 방법을 물었다. 옆에는 내 아들또래의 여자아이가 함께 있었다. 그 부부가 들고 있던 지도에 3호선으로 갈아타는 곳, 종로3가와 내릴 곳, 안국역을 표시해주었다. 혹시 길을 잘 못 찾거나 오늘이 아니라도 한국에 머무는 동안 어려움이 있으면 연락하라고 명함도 건네줬다. 부부는 고맙다고 꾸벅 허리를 구부려 인사하고 아이도 또박또박 한국말로 '감사합니다'라고 인사했다. 가는 동안 계속 뒤돌아보고는 눈이 마주치면 몇 번이고 인사를 했다. 아이도 마찬가지였다. 일본인 가족이 우리나라에서 좋은 추억을 많이 담아갔으면 하는 마음이었다.

저 아이도 자라면 독도가 자기네 땅이라 하겠지.

나는 아빠다 I

퇴근길, 땅거미가 어둑어둑해지는 집 앞 모퉁이를 돌 때였다. 중학생인지 고등학생인지 교복을 입은 학생들 서넛이 모여서 담배를 피우고 있었다. 눈이 마주쳤는데 뭘 보냐는 듯 빤히 쳐다보기에 갑자기 섬찟해졌다. 전 같으면 가던 길을 멈추고 타일렀겠지만, 청소년들에게 얻어맞고 뉴스에 나올까봐 그냥 모른 체 지나쳤다. 나는 나이를 먹을수록 불의를 보면 잘 참는다.

집으로 들어와 한숨 돌리고 보니 마침 아들 녀석이 학원에서 돌아올 시간이 되었다. 순간 집 앞 모퉁이에서 담배 피우던 녀석들이 생각났다. 어릴 적 동네 불량 학생들에게 돈을 빼앗겼던 일이 떠올랐다. 다시 밖으로 나갔더니 아직도 그 녀석들이 담배를 피우고 있었다.

'에라 모르겠다.'

침을 꼴딱 삼키고 다가가서 한 마디 했다.

"야, 니들 여기서 뭐하는 짓이야! 빨리 담배 안 꺼?"

최대한 목소리를 깔고 위엄 있어 보이도록 노력했지만 사실 다리는 후들거리고 있었다. 그 순간 녀석들이 순순히 담배를 끄고 죄송하다고 꾸벅 인사를 하고는 옆 건물 독서실로 들어갔다. 안도감으로 온몸에 힘이 풀리자 다리가 더 후들거렸다.

'그래도 착한 녀석들이네….'

"아빠!"

그때 저쪽에서 아들 녀석이 나를 불렀다.

"여기서 뭐해?

"응, 저 녀석들이 여기서 담배 피우기에 혼 좀 내줬지."

"그래?"

갑자기 어깨가 으쓱해졌다.

'아들이 이 모습을 다 지켜봤어야 했는데….'

체온 지키려다

추운 겨울날 몇 년만에 아내가 사다 준 내복을 입었다. 여성들이 입는 검은 레깅스처럼 생겼는데 체온을 유지시키는 히트텍이란다.

그런데 퇴근시간 가까운 무렵 화장실에 가서 거울을 본 후 내 복장이 이상한 것을 눈치챘다. 〈쇼미더머니〉에 나오는 래퍼들 복장처럼 바지가 많이 내려가 골반에 걸쳐 있는 것이었다. 따뜻한 내복을 입고 있으니 바지가 내려가는 것을 전혀 눈치채지 못한 것이다. 점심을 먹고 반나절을 똥 싼 바지처럼 입고 다닌 모양이다. 야속한 팀원들은 아무도 내게 귀띔해주지 않았다. 내가 점심도 사줬는데.

오늘은 체온 지키려다가 체면이 말이 아니다.

고
맙
다

초등학교 졸업 후 처음 모임에 나온 한 동창 녀석이 갑자기 일어나 소리쳤다.
"살아 있어줘서 고맙다. 이놈들아!"

헤어진 지 삼십 년이 넘었고 이미 저 세상으로 간 녀석도 있다. 또 다른 삼십 년을 보내고 나면 우리 중 또 몇은 이 세상 사람이 아닐 것이다. 그러니 지금 만나 나누는 어깨동무가 어찌 살갑지 않으랴. 아름다운 추억을 함께 공유한 친구들과의 만남은 괜히 '내 편'을 만난 것처럼 든든하고 즐겁다. 집으로 돌아오는 골목 어귀에서 함께 찍은 인증샷을 꺼내 보며 외쳤다.

이놈들아!

살아 있어줘서 고맙다.

어떻게
사랑이 변하니?

내가 결혼 적령기이던 시절 '사랑해'라는 말은 '결혼하자'라는 말과 같았다. 그 말이 주는 무게 때문에 나는 살면서 '사랑한다'는 말을 몇 번 못해봤다. 그런데 요즘은 오늘 만난 상대에게도 사랑한다고 한다. 여기에서 사랑한다는 말은 '결혼하자', '같이 살자'는 의미와는 다를 것이다.

⟨꽃보다 청춘⟩이라는 TV 프로그램에서 아프리카로 여행 중인 청년 넷이 하루 종일 서로 사랑한다고 한다.
'어떻게 사랑이 변하니?'라는 영화 ⟨봄날은 간다⟩의 대사가 유행한 지 얼마 안 돼 "사랑은 움직이는 거야"라는 광고 속 카피가 유행했다.

사랑에 대한 의미가 전과 다른 만큼 삶에 대한 진지한 태도도 많이 변한 것 같다. 세상에 변하지 않는 한 가지 진리, '모든 것은 변한다'는 말이 맞는 것 같다.

그래도 사랑은 변하지 않았으면 좋겠다.

인간관계의 이별법

인간관계에 관한 책을 몇 권 썼더니 적지 않은 상담요청이 들어온다. 인간관계 전문가라고 해서 인간관계가 다 좋은 것은 아니다. 우리는 일터에서 많은 사람을 겪는다. 눈길만 마주쳐도 마음이 따뜻해지는 사람이 있는가 하면, 그림자만 보아도 기분이 씁쓸해지는 사람이 있다.

나는 오늘 마주쳐간 상대방에게 어떤 사람이었을까.
후배 하나를 마음에서 떠나보냈다. 자존심도 뭉개고 갖은 애를 써도 마음이 돌아서지 않더라. 사람을 떠나보내는 것도 살면서 겪을 수밖에 없는 일일 것이다. 대통령도 절반도 안 되는 지지율을 가지고 있는데 모든 사람이 다 내 편이 될 수는 없다. 그래, 잘 떠나보내고 지금 내게 남겨진 사람들에게 더 집중하면 된다.

택배아저씨

푹푹 찌는 더위에 잠 못 이루던 어느 여름밤이었다.
밤 11시가 넘었는데 초인종이 울렸다.
'아니 누가 이 늦은 시간에…?'
초인종소리에 화가 나 콩콩콩 달려가 문을 열었더니 택
배아저씨였다. 당일배송을 자랑하는 인터넷 서점에서 주
문한 책이 도착한 것이다.
"너무 늦어서 죄송합니다."
몇 번이나 고개를 숙여 인사를 하는 택배아저씨는 비 오
듯 땀을 흘리고 있었다.
"아이고, 날도 이리 더운데 이 시간까지 일하시네요. 늦
게라도 배달해 주셔서 감사합니다."
활짝 웃으며 또 인사를 하는 모습을 바라보니 제법 많은
흰머리에 나보다 열 살은 많아 보였다.

초인종을 누르기 전에 얼마나 마음을 졸이셨을까.
우리 집이 마지막 배달지였으면 좋겠다는 마음이 들면서
갑자기 내 머리를 쥐어박았다.
냉커피 하나 드릴 걸.

스티브 잡스

검정 터틀넥 스웨터와 색 바랜 청바지에 운동화. 스티브 잡스의 트레이드마크다. 그 복장에는 그의 가치관, 비전, 그리고 기성사회에 맞서는 반골 정신과 새로운 것을 창출한다는 강한 기업가 정신이 담겨 있다. 그리고 무엇보다 극도의 심플함을 추구한다는 애플 제품을 상징한다. 내가 스티브 잡스처럼 입고 출근하면 바로 사장님의 호출이 있을 것이다. 그렇게 입는다고 창의적이고 혁신적인 아이디어가 마구 쏟아지는 것은 아닐 것이다. 오히려 조직의 구성원이 다 스티브 잡스처럼 혁신가이고 창의적인 천재들이라면 그 조직은 무너질 것이다. 가령 규칙에 맞게 정해진 틀 안에서 한 치의 오차 없이 꼼꼼하게 일을 처리해야 하는 회계 담당자에게 혁신과 창의력은 그다지 어울리지 않는다.

팔꿈치 사회

앞만 보고 달려갈 때는 앞 사람의 뒤통수만 보였다. 위만 보고 오를 때는 위에 있는 사람들의 엉덩이만 보였다. 찬 바닥에 철퍼덕 엎어져 보니 그 바닥이 얼마나 차가운지 온몸을 통해 전해진다. 엎어지고 나서야 비로소 옆에 있는, 심지어 내 뒤에 있는 사람들의 얼굴이 눈에 들어온다. 서로 경쟁하느라 팔꿈치로 밀어내고 견제할 때는 보지 못했던 순박한 하회탈 같은 주름을 가진 사람들의 얼굴이 보인다. 거칠지만 서로 격려하는 손, 함께 어깨동무를 하고 있는 손들이 보인다.

**비록 헉헉거리며 가쁜 숨을 몰아쉬고 있지만
그들의 입가에는 미소가 묻어 있다.**

가면무도회

저 사람의 원래 얼굴은 어떻게 생겼을까?
가장 젊을 때
가장 아름다울 때
가장 잘 나갈 때
주위에 모인 사람들은 무도회에 모인 사람들처럼 한결같
이 가면을 쓰고 있다.

인생의 후반기에 접어들 때
잘 나가던 인생이 한 풀 꺾였을 때
실패와 패배를 맛보았을 때
주위 사람들이 하나 둘 가면을 벗기 시작한다.
비로소 누가 내게 미소를 짓고 있는지 알게 된다.

가을보다 따뜻한 겨울

갑작스런 추위가 들이닥쳤다.

낙엽은 뒹굴겠다, 이문세의 '광화문 연가'는 흐르겠다, 명동거리는 바바리코트 물결이다. 가만히 있어도 이유 모를 감정들이 맹수처럼 달려드는 계절이니 가을을 안 탈 수가 없다. 낙엽 한 번 살포시 밟아보지 못했는데 대관령 첫눈 소식에 누려보지도 못한 가을을 또 허위허위 보내고 있다. 물기 없는 마른 가지에 매달린 나뭇잎은 잡은 손을 놓지 않으려 아등바등 거린다. 나의 가을은 또 그렇게 떠나가고 있다. **하지만 내 마음속엔 따뜻한 난로 하나, 온기를 불어 넣어주는 내 사람들이 있다.**

꽃보다 중년

우리 사회에는 세상을 자기 자신에게 맞추려는 사람과
자기 자신을 세상에 맞추려는 사람,
이렇게 두 부류가 있다.

꼬장꼬장했던 성격의 기세가 조금은 꺾이는 나이
몸 여기저기서 고장신호를 보내는 나이
찬란했던 꿈들을 하나씩 내려놓는 나이
20대였으면 격분에 참지 못했을 일도
하루 자고 일어나면 속으로 삭여지는 나이

지금 격분에 차 있던 젊은 시절과 이별하는 중이다.

나는 지금 세상과 화해하는 중이다.
나는 중년이다.

다짐의 힘

일기예보를 챙겨보지 않아도 별 불편함 없이 살아갈 수 있
는 이유는 가방 속에 항상 들어 있는 작은 우산 덕분인 것
처럼 돈도 빽도 없는 나에게 폭풍우보다 더 거칠게 달려들
고 맹수보다 더 사납게 할퀴려 드는 이 세상을 별 두려움
없이 살아갈 수 있는 이유는 나만의 주문 덕분이다.
'난 잘 할 수 있어!'
내가 철이 들면서부터 내 심장에, 내 머리 속에 문신처럼
박아 놓은 말이다. 고단한 하루를 마감하고 지친 몸을 잠자
리에 누일 때도 나는 주문처럼 스스로에게 칭찬을 건넨다.
'오늘도 수고했다.'
새로운 하루를 시작하며 집을 나설 때 나는 언제나 스스로
에게 주문을 건다.

설득의 의미

자기 의견을 쉽게 꺾는 사람은 거의 없다. 설사 겉으로
고개를 끄덕이고 수긍했더라도 속마음까지 꺾이지는 않
는다. 오늘 누구를 설득했다면 누군가의 마음을 꺾은 것
일 수도 있다. 그 누군가가 아랫사람일 경우는 더욱 그럴
거다. 피부의 상처는 약을 바르면 낫지만 마음을 치료하
는 약은 없다. 한 번 상처 입은 마음은 회복되기 어렵고,
한 번 떠난 마음은 좀처럼 돌아오지 않는다.

마음도
골다공증이 생긴다

중년이 되니 호기 넘치던 젊은 시절에는 상상하지 못했던 많은 일들을 겪게 된다. 전 같으면 절대 그 냥 넘어가지 못했을 일도 점점 잘 참게 된다. 나이 가 들면서 갖추게 되는 원숙함이라 생각했다.

그런데 그게 아니더라.
참는 게 아니더라.
괜찮은 게 아니더라.
흘려보내는 게 아니라 마음 어딘가에 차곡차곡 쌓여 있더라. 나이가 들면서 뼈에 구멍이 뽕뽕 생기는 골 다공증처럼 마음에도 구멍이 생겨 바람이 슝슝 지나 가더라. 그럴수록 마음의 구멍이 점점 더 커지더라. 아프면서 괜찮은 척 거짓말과 표정관리만 늘더라. **마음의 근육을 단련하지 않으면 언제가는 너무 커 진 구멍으로 인해 마음이 무너질 수도 있겠더라.**

아픈 청춘들에게

대학 입시에 실패했다고 실패한 인생은 아
니다. 당장 취업이 어렵다고 평생 아르바이
트 인생으로 끝날 것도 아니다. 연인이 떠나
갔다고 세상이 내게 등 돌린 것도 아니다.

아프니까 청춘이라고 다독이는 말에 너무
마음 주지 말 일이다. 멘토를 자청하는 그
분들은 이미 교수, 의사, 사장님들이다. 아
프니까 청춘이 아니라 아픔에도 불구하고
이겨내고 일어날 수 있으니 청춘이다. 지금
비록 전쟁에서 패한 낙오자 같아도 아직 모
른다. 지금의 아픔이 후에 큰 밑거름이 될
것이니 좀 더 길게, 좀 더 멀리 볼 일이다.

그래도 꿈은 크게 가져야 한다. 그래야 깨져도 남은 조각이 크다. 당장 급한 것 때문에 중요한 것을 놓치지 말길 바란 다. 전투에서는 지더라도 전쟁에서 이기 면 된다. 지금 아픈 청춘을 잘 이겨내면 아픈 중년도 너끈히 이겨낼 수 있다. 그 것을 이겨내는 것이 멋진 인생이다.

그래도 청춘이 아프지 않았으면 좋겠다.

마음을 점검하세요

 엔진오일 점검할 때가 되었습니다.

단골 카센터에서 문자메시지가 왔다.
뚜껑을 열고 시커멓고 찐득한 오일을 쏟아버리고 맑은
엔진오일을 보충해준다. 평소 생각해 두었던 부품 몇 개
와 닳아버린 타이어도 교체한다. 세차까지 했더니 그럴
듯하다. 낡은 것을 바꿨으니 이제 내 차는 새 차처럼 달
릴 것이다. 갑자기 차가 부러워진다. 부품을 갈아주면 새
차처럼 변할 수 있으니 말이다. **새까매진 내 마음 속의
부품들도 교체가 가능하면 얼마나 좋을까.**

한 잔의 행복

고등학교 때는 대학에 진학하게 되면 행복할 줄 알았다.
누구나 지금보다 나은 상황을 행복이라 여길 것이다.

대학에 입학해서는 군대에 무사히 다녀오는 것
군 전역 후에는 취직을 하는 것
취직 후에는 결혼을 하는 것
결혼 후엔 무사히 아이를 낳는 것
전세를 탈출하여 내 집을 마련하는 것
그리고 남들보다 먼저 승진하는 것

살면서 그때그때 행복을 위해 가졌던 소원을 다 이룬 지
금의 나를 행복하게 하는 것은 언제 봐도 편안한 친구와
함께하는 달콤하고 향긋한 카페라테 한 잔이다.

방향 틀기

한 시간짜리 강의를 하러 갔다가 그 보다 더 오래 걸려 집
에 돌아오는 길이었다. 낮 시간인데도 길이 너무 막혀 주
차장으로 변한 도로에서 나는 내비게이션이 알려주는 방
향이 아닌 다른 방향으로 핸들을 꺾었다. 집과는 반대로
방향을 잡은 차 안에서 드는 생각이란,

'나는 지금 어디로 가고 있는 걸까.'

'여긴 도대체 어디지?'

그런데 내비게이션이 알려준 도착 예정 시간보다 훨씬 빨
리 집에 도착했다. 그래, 때론 돌아가는 길이 지름길보
다 더 빠를 수도 있다. 조급해하지 말자. 설사 돌아가더라
도, 조금 늦더라도 무사히 목적지에 도착하면 된다.

결국 핸들은 내가 잡고 있으니까.

꿈에 어울리는 동사

꾸다, 이루다.
'꿈'이라는 단어에 가장 어울리는 동사는 무엇일까?

삼십 대는 여러 가지 꿈을 꾸는 나이다. 하지만 마흔이
넘어서면서부터는 이루지 못한 그 많았던 꿈을 하나씩
내려놓게 된다. 서른아홉과는 불과 한 살 차이지만, 마흔
이 주는 무게는 인생의 절반이 돌아선 묵직한 느낌이다.
오래 간직해온 꿈을 잘 내려놓고 잘 보내는 것도 의미 있
는 일이다.

목덜미가 휘어지도록 인생의 무게에 허덕이는
사십 대는 어떤 꿈을 꾸어야 할까?

지금 내게 남은 꿈은 무엇일까?
이룬 것은 없어도 꿈은 꾸는 것 자체로 귀하다.

몸은 심장이 멈출 때 죽지만,
인생은 꿈을 잃을 때 죽는다.

마음속의
모래주머니

초등학교 시절 야구를 했던 나는 평소 바지
속 종아리에 모래주머니를 차고 다녔다. 무
겁고 불편해도 모래주머니를 풀었을 때 다
리가 구름처럼 가벼워져서 훨씬 빠르게 뛰
어다닐 수 있었기 때문이다.

작고 사소한 일에도 크게 놀라고 상심하곤
하는 요즘, 마음에 모래주머니를 달고 있는
느낌이다. 묵직한 불쾌감에 늘 거북하고 불
안하다. 모래주머니는 좀처럼 떨어질 줄 모
르고 오히려 내 심장의 일부가 되어가는 느
낌이다.

이제 키가 자랄 나이는 아니지만 생각의 깊이는 한 뼘 더 자랐으면 좋겠다. 마음의 키도 훌쩍 성장했으면 좋겠다. 무거운 짐을 털어버리고 마음은 가벼이 하늘을 날아다니면 좋겠다.

이젠 정말 그렇게 살고 싶다.

길을 좋아하세요?

그 친구는 꼬불꼬불한 길을 걷는 것을 좋아했
다. 남들이 가지 않은 길을 걷는 것을 좋아하
던 친구다. 길을 좋아하는 그 친구 덕분에 나
도 길을 좋아하게 됐다. 그림에는 소질이 없
지만 낙서를 할 때면 항상 꼬불꼬불한 길만
가득 그리곤 했다.

어느 시인이 물었다.
"햇볕이 드는 길을 좋아하세요? 그늘진 길을
좋아하세요?"
"추운 겨울에는 햇볕이 드는 따스한 길을 좋
아하고, 더운 여름에는 그늘진 시원한 길을
좋아한답니다."

내게 길의 이미지로 남아 있는 그 친구가 영영 먼 길을 떠났다. 길 저 너머에 있는 것을 궁금해 하더니 기어코 보고 싶었나 보다. 길 저 너머에 무엇이 있는지 먼저가서 내게 알려주고 싶었나 보다. 끝없이 펼쳐진 길을 볼 때마다 나는 그 길을 먼저 걸어간 친구가 그리워진다.

좋은 길동무

누구에게나 공평하게 하루 24시간이 주어지지만, 어린 아이의 시간과 노인의 시간은 다르다. 그렇게도 안 가던 시간이 지나가고 있다는 느낌을 받을 때면 이미 너무 많은 시간이 흐른 뒤다. 아무리 용을 써도 흐르는 시간을 붙잡을 수는 없다. 앞만 보고 질주하는 경주마처럼 기를 쓰고 정신없이 제 갈 길을 서둘러 가기 때문이다. 시간에 정면으로 맞서기 보다는 살짝 옆으로 비켜서서 시간과 함께 걸어가면 시간이란 꽤 괜찮은 길동무임을 느끼게 된다.

꼭 붙들어 놓을 수 없다면 함께 걷는 친구가 되는 것이
현명하지 않겠는가. 나는 지금 이 순간도 꽤나 괜찮은
길동무와 함께 여행을 떠나는 중이다.

인생의 출발선

마흔을 앞둔 한 후배가 말했다.

"낼모레 마흔인데 전 여태까지 뭘 했나 싶어요."

별로 해 놓은 것도 없이 나이만 먹은 것 같아 슬프고 안
타깝다는 것이었다.

공자는 이렇게 말했다.

"마흔에 미혹됨이 없게 되었고(不惑), 쉰에 이르러 천명
을 알게 되었다(知天命)."

공자도 지천명의 나이가 되어서야 이름이 알려진 인물이다. 아무도 알아주지 않는 40대를 '무엇에도 미혹되지 않겠다'는 다짐으로 이겨내고, 50대에 겨우 등용되자 이제야 하늘의 뜻을 알았노라 고백했다.

삼십 대보다 사십 대의 시간이 더 빠르게 지나간 것처럼 느껴진다. 아마 오십 대는 더 빨리 갈 것이다.

생각을 바꾸는 지혜

회사에서 별것 아닌 일에 화를 내서 마음이 좋지 않은 밤
온통 머릿속이 복잡해 생각도 꿈도 뒤죽박죽인 긴긴 밤
마음이 힘든 밤이면 마음이 설레던 날들을 생각한다.
초등학교 때 소풍 가던 날
재수 끝에 합격한 대학교에 입학하던 날
힘든 군생활을 마치고 제대하던 날
취업지옥을 뚫은 회사에 첫 출근하던 날
사랑하는 사람과 부부가 되던 날
어렵게 마련한 내 아파트에 입주하던 날
승진하여 처음 내 방을 받던 날

행동에 앞서 1부터 10까지 셀 정도의 자제력만 있으면 세상 폭력의 절반은 줄어들 수 있다고 한다. 화가 날 때마다 푸시업 10개를 하거나 스쿼트 10개를 하면 가슴 근육이 발달하고 허벅지가 탄탄한 몸짱도 될 수 있다.

분노할 만큼 화가 나는 일을 조금만 다르게 생각하고 참으면 우리는 늘 즐거운 내일을 맞을 수 있다.

마음

정
리

책 읽기를 좋아하다 보니 책이 점점 늘어나 책장의 책들을 자주 정리하는 편이다. 나름대로의 규칙을 만들어 정리하고 나면 뿌듯하고 목욕을 한 것처럼 개운하다.

책을 정리하다가 책을 떨어뜨려 발등을 찍히는 일이 종종 있다. 그럴 때면 발등이 움푹 패이고 눈물이 찔끔 나오기도 한다. 하지만 이런 상황이 싫다고 늘어가는 책 정리를 안 할 수는 없는 노릇이다.

책 정리를 할 때면 늘 한 친구가 떠오른다. 그 친구 녀석과 조금 찜찜한 일이 있었지만 차일피일 연락을 미루다가 그 녀석에게 발등을 찍혔다. 배신이라 하고 싶진 않지만 이리 아픔이 큰 것을 보면 너무 주책없이 마음을 많이 준 모양이다. 마음의 상처가 더 오래간다는 말이 맞는 것 같다. 그런데 인간관계로 인한 아픔이 크다고 해서 모든 관계를 닫을 수는 없는 일 아닌가.

발등에 굳은살이 박인 것처럼 마음에도 굳은살이 생길 법도 한데 오히려 더 물렁물렁해진다.

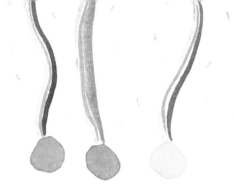

값진 동메달

얼마전까지만 해도 한국 선수들은 올림픽에서 은메달을
따도 시상대 위에서 그리 즐거워하지 못했다. 국민들의
시선에 눈치라도 보이는 것일까. 언론에서도 금메달을
따지 못하면 실패한 것처럼 보도를 했다. 반면 동메달을
딴 외국 선수는 금메달을 딴 선수만큼 기뻐하는 모습을
자주 볼 수 있었다.

올해 리우 올림픽에서는 금메달 후보였던 한국 선수들이
동메달을 딴 후 환하게 웃으며 금메달과 은메달을 딴 선
수를 축하해주고 기뻐하는 모습을 자주 볼 수 있었다.
언론에서도 '금메달보다 값진 동메달'이라며 그동안 흘린
땀의 가치가 얼마나 소중했는지 강조하며 준비하는 과정
에 집중하는 모습을 보였다. 그리고 국민들도 메달과 상

관없이 최선을 다한 선수들에게 격려의 박수를 아낌없이 보내주었다. 메달을 놓친 손연재 선수는 어떤 금메달리스트보다 더 큰 박수를 받았다.
최고보다 최선에 눈길을 주기 시작했다.

1등만 알아주던 이전과는 달리 국민도 언론도 의식이 조금씩 바뀌고 있다.

#2

흐린 날

소중한 사람을
행복하게 하는 방법

철이 든 것인지 자식들을 위해 희생하신 부모님 인생이
눈에 들어오기 시작했다. 부모가 자식들에게 주는 가장
큰 선물은 부모 스스로가 행복한 것이다. 부모님의 나이
가 되면서 또다시 느낀다. 자식들이 부모에게 주는 가장
큰 선물도 역시 그들이 행복한 삶을 사는 것이다.

우리가 행복하게 사는 것이
가장 소중한 사람을 행복하게 하는 것이다.

사람 냄새

각종 SNS에, 모임에 기웃거리는 일이 잦아졌다.
누구나 사람이 중요하다고 말하지만 배려와 존중을 실천
하며 살아가는 사람을 찾기는 쉽지 않다. 많은 사람들과
함께 살아가면서도 사람 냄새에 굶주려 있는 까닭이다.

생명의 가치와 인간의 존엄함을 염두에 두고 살아가는
사람들이 풍요로운 물질들과 기술의 진보를 중요하게 여
기는 사람들보다 조금씩이라도 더 많아졌으면 좋겠다.

마음의 그릇

계속 열이 난다.
얼굴이 발그스레하다.
그런데 병원에선 열이 없다고 한다.
그렇다면 마음에 열이 있는 걸까?

갑자기 까칠해진 사람들
갑자기 내게 등 돌리는 사람들
갑자기 소식을 끊는 사람들

내가 의식하지 못하는 사이에 그들의 마음을 상하게 했을 수 있다. 내가 생각지 못했어도 그들의 자존심을 건드렸을 수도 있다. 나도 모르게 내뱉은 험담을 누가 크게 부풀려서 전했을 수도 있다. 그렇다면 그들도 나 때문에 열이 나고 있을지도 모르겠다. 세상에 가장 깨지기 쉽고 쉽사리 상처가 아물지 않는 것이 우리네 마음이니까.

기분이 좋을 때는 바다처럼 온 세상을 다 받아들일 것 같다가도, 한 번 틀어지면 바늘 하나 꽂을 자리가 없는 것이 우리네 마음 아니던가.

옆모습

"그 남자를 사랑하는데, 결혼은 아직 잘 모르겠어요. 만난 지 얼마 안 돼서 그런지 모르는 부분도 있는 것 같고, 다들 나이도 있으니 이것저것 재지 말고 빨리 결혼하라고 하는데 저는 아직 확신이 서질 않아요."

몇 달 전에 만난 사람과 결혼을 생각하고 있다는 한 후배가 고민을 털어놨다.

"연애할 때는 사랑하는 사람의 앞모습만 보여. 다 아름답고 좋아 보이지. 그런데 결혼해서 같이 살다 보면 그 사람의 뒷모습도 보이게 돼. 결혼 전에는 보이지 않던 모습이 보이기 시작하면서 당황스럽기도 하겠지만 그래도 옆모습을 보려고 노력해봐."

**결혼이란
서로의 옆모습을 보는 거라고 생각해.**

산다는 것

어떻게 사는 것이 잘 사는 것일까?

'산다'는 단어를
가장 잘 수식하는 단어는 '잘'이라는 부사다.

'잘'이란 부사는 옳고 바르게, 훌륭하게, 익숙하게, 능란하게, 탈 없이 편하게, 만족하게, 곧잘, 예쁘고 아름답게, 아주 적절하게, 쉽게 등의 다양한 의미를 가지고 있다. 하지만 '잘 산다'는 말의 의미가 물질적인 넉넉함으로 좁아지는 시대에 살고 있기에 우리는 늘 결핍감에 시달린다.

잘 산다는 의미는 일상의 매 순간을 깊은 통찰 속에서 살아내는 것이다. 나는 김기석 목사님이 〈일상순례자〉에서 정의하고 있는 '잘 산다'는 의미에 공감한다.

밥을 먹을 때는 일용할 양식을 주신 분을 생각하며 고마움으로 먹고, 일할 때는 일터를 주심에 감사하여 정성껏 하고, 누군가와 만나 이야기를 나눌 때는 공들여 집중하며 경청하고, 놀 때는 신명나게 노는 것이다.

나는 오늘도 '잘'이란 녀석의 뒤꽁무니를 쫓아 잠들어 있는 가족들을 뒤로하고 아직 동이 트지 않은 어두컴컴한 거리로 발걸음을 내딛는다.

레가토와
스타카토

연주법 중에 한 박자를 절반의 길이로 끊어서 연주하라
는 뜻의 스타카토(Staccato)라는 용어가 있다. 스타카토
를 표현하는 것은 쉽지 않은 고급 기술이지만, 연주를 듣
고 있으면 벼랑 끝을 걸어가고 있는 것처럼 머리끝이 곤
두서고, 앉아 있는 한 쪽 엉덩이가 살짝 들리게 된다. 화
려하지만 어딘가 모르게 불편하다.

나는 레가토(Legato)를 좋아한다. '음과 음 사이를 끊지
말고 원활하게 연주하라'는 의미이다. 레가토의 연주곡을
들으면 마음이 편해지고 온몸의 근육이 이완되는 느낌이
다. 그러나 정작 레가토로 노래를 부르거나 연주해야 하
는 입장에서는 호흡이 끊어지지 않도록 조심해야 한다.

겉으로는 편안한 표정과 소리를 표현하지만 내적으로는 그 부드럽게 이어지는 소리를 내기 위해 치열한 싸움을 이겨내야 한다. 게다가 두루뭉술하게 넘어가는 것 같지만 오히려 음이 떨어지거나 올라가지 않게 정확하고 일정한 음을 내야 한다. 레가토가 가능하려면 평소 많은 연습이 뒷받침된 내공이 있어야 하는 것이다.

꾸준하고 치열한 연습과 자기성찰을 통해 스스로 여물지 못하면 이 레가토를 표현하기 어렵다. 나는 레가토 같은 사람이 좋다.

거울이론 I

"선배님, 요즘은 SNS에
허접하고 쓸데없는 글들이 너무 많아요."
내가 SNS를 많이 하는 것을 아는 후배가
짜증스럽다는 듯 말했다. 그래서 대답해 주었다.
"네가 그런 사람들과 친구를 맺어서 그래."

자신과 가까운 사람들을 모아놓으면 자신의 모습이 된다.
거울처럼.

거울이론 II

어제는 만나는 사람마다 인상을 쓰거나 짜증을 내
곤 했는데 오늘은 모두 환하게 웃고 밝게 인사를
해왔다. 퇴근 후 운동하러 들른 헬스클럽에서 트레
이너와 인사를 하고 나서 그 이유를 알게 되었다.
"오늘은 어제보다 표정도 밝으시고 기분이 좋아 보
이시네요."

아! 내가 찡그리면 세상도 찡그리고,
내가 웃으면 세상도 웃는구나.
거울처럼.

무화과가
정말 못났을까

무화과에 관한 시를 읽었다.
무화과는 '꽃이 피지 않는다'는 의미이다.
자세히 살펴보니 이파리도 참 못났다.
못났다, 못났다 손가락질 받다 보니
나비에게 놀다 가라 유혹하지도 않고,
벌에게 좋은 것을 감춰놨다고 손짓하지도 않는다고 한다.

온갖 구박을 하다가 맛을 보기 위해 배를 가를 때
비로소 알게 된다.
무화과는 속에 꽃을 피운다는 것을.
그리고 그 열매는 달디 달다는 것을.

나는 화려한 꽃 같은 사람보다는
무화과 같은 사람에게 더 정이 가고 마음이 간다.

부끄럽지 않은 나로
살아가기

상무님,

팀장님,

작가님,

회장님,

선생님,

집사님,

지휘자님,

아빠.

지금 내가 사람들에게 불리는 호칭들이다. 사람들에게
불리는 이름을 모아놓고 보면 그 사람이 어떻게 살아왔
는지, 현재 어떻게 살고 있는지 알 수 있다. 저 호칭들을
보니 나도 남들처럼 숨가쁘게 살아오긴 한 것 같다. 앞으
로 10년 후에는 어떤 이름으로 불리고 있을까.

결국 내가 불릴 호칭은 내가 만들어가는 것이다.

외로움이
외로워서

외로움에 치를 떨어본 적이 있는가?
너무 외로워 죽는 것이 나을 것 같
다는 생각을 해본 적이 있는가?

혼자 있을 때에만 외로움을 느끼는
것이 아니다. 많은 군중 속에 있어
도 나와 마음을 나눌 사람이 없음을
깨달을 때도 외로워진다.

지금 혼자 있어도 내 안의 나와 함께 있다는 생각으로,
내 생각과 마음을 공유해주는 사람들이 있다는 생각으로,
나를 위해 기도해주는 사람들이 있다는 생각으로,
나도 누군가를 외로움에서 건져줄 수 있다는 생각으로,
억지로라도 이런 생각들을 하게 되면 외로움은
어느 순간 내 안에서 빠져 나간다.

외로움이란 녀석도 외로움이 싫어
자꾸 만만한 사람에게 들러붙어 있으려 한다.

친구라는 건

누구에게나 아픔은 있다. 털어놓기 힘든, 기억하기 싫은,
몇 번이고 삶을 포기하고 싶게 만들었던, 고통스러운 트
라우마로 새겨진 아픔들….
그 고통이 어떠했을지 감히 짐작도 안되지만, 미안해서
살짝 건드리기도 어렵지만, 심장을 도려내는 아픔을 간
직한 사람들에게 그저 옆에서 할 수 있는 것은 들어주고,
고개를 끄덕여 주고, 어깨를 토닥여 주는 것.
우리는 그런 사람을 친구라고 부른다.

인생
비빔밥

기쁨, 슬픔, 행복, 연민, 사랑, 고통, 분노 등
인생은 비빔밥과 같다.
모든 감정이 다 들어가 한 데 섞여 있다.
간혹 슬픔이라는 양념이 더 들어가면 저린 맛이,
사랑이라는 양념이 더 들어가면 달콤한 맛이 난다.

지금 느끼는 것은 이 순간 감정의 맛일 뿐,
너무 낙심하거나 너무 들뜨지는 말 일이다.

당신의 상사

당신의 상사는

기다리지 않고 늘 채근하며 급히 일을 몰아붙이지만

그런 추진력 덕분에 많은 성과를 올렸다.

당신의 상사는

보고할 때마다 딴지를 걸고 그냥 안넘어가는 찌질이지만

꼼꼼한 리스크 관리 덕분에 당신의 조직을 살렸다.

당신의 상사는

회식 때마다 자기 마음대로 장소를 정해버리지만

부하직원들에게 맛 보여 주고 싶은 곳으로 선택했다.

직원들은 늘 모여서 그 상사의 험담을 늘어놓지만

당신의 상사는 그런 사실을 다 알고 있다.

눈을 맞추고 대화하기

직장 생활의 꽃 점심시간. 동료들과 점심식사를 하러 갔다. 저마다 음식을 주문하곤 갑자기 침묵모드로 돌입했다. 나를 포함해서 모두 고개를 처박고 스마트폰으로 SNS를 확인하는 중이었다.

SNS는 한 번도 만난 적 없는 사람들까지 소통하게 해주지만 정작 내 주위의 사람들과 눈을 보면서 대화할 기회를 줄게 한다.

손 내밀기

지금 아프고 힘들다면, 나와 같은 심경을 가진 이들의 마음을 느끼고 헤아릴 수 있는 좋은 기회라고 여기자. 누구나 '누가 내 손을 잡아줬으면' 하는 상황에 놓일 때가 있다. 그러나 안타깝게도 우리는 도움을 구하는 손을 덥석 잡아주는 데 익숙하지 않은 듯하다.

아무리 이해하는 척 해도 타인의 아픔은 직접 경험해 보지 않고는 도저히 가늠할 수조차 없다. 누군가의 손을 잡고 일어서 본 적이 있는 사람은 다른 사람에게 손을 내밀 줄 안다.

그런 이의 손에는 온기가 흐르고 있을 것이다.

커피를 좋아하세요?

"어떤 커피를 좋아하세요?"
내가 커피를 좋아해서 많이 받는 질문이다.
내 대답은 늘 한결같다.

"좋은 사람과 마시는 커피요."

이곳저곳 여행하기를 좋아하지만
시간이 지날수록 내가 갔던 곳인지 아닌지 가물가물할
때가 있다. 그럴 때마다 누구와 함께 갔었는지
떠올리면 기억이 난다.

살면서 가장 중요한 것은 '누구와 함께'가 아닐까?

알파고가 이겼다

알파고가 이세돌을 이겼다.

로봇이 청소도 해주고 빨래도 해주고 게임 상대도 되어
준다. 가까운 미래에는 자고 일어나면 침대가 내 건강상
태를 알려줄 것이고, 스마트밴드가 종일 건강생활을 체
크하여 가이드 해줄 것이고, 자율주행차가 대중화 되면
운전할 필요도 없어질 것이다.

편해지는 만큼 살기 좋아질까?
아무리 세상이 변해봐라.
살 냄새와 마음 깊은 곳에서 느껴지는 정은
기계나 컴퓨터가 흉내 낼 수 없다.
아무리 디지털 세상이라 떠들어 봐라.

인
간
관
계
는

아
날
로
그
다

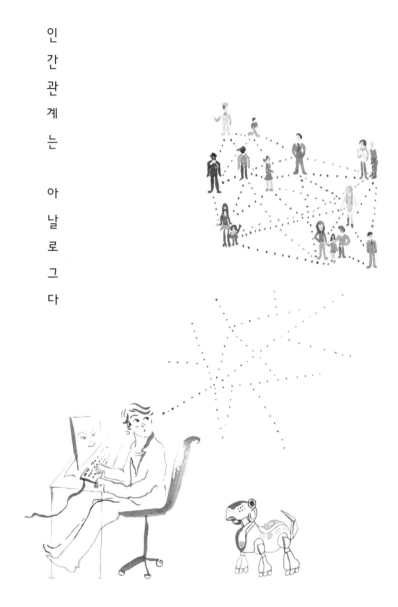

말에서

마음까지 의
거 리

우리 시대에 오고 가는 말들이 거칠기 이를 데 없다.
말은 더 이상 사람과 사람을 이어주지 못한다.

바다에 이르지 못한 채
가뭄에 잦아드는 강물의 슬픔처럼
세상 빛을 보지 못하고 타 들어간
사막 한 가운데 작은 씨앗의 몸부림처럼
고향을 눈앞에 두고도 가보지 못하는
실향민의 먹먹함처럼
제 음을 전달하지 못하는
고장 난 피아노 건반의 안타까움처럼
그렇게 말은 안타까움을 머금고
혀 주위에서 맴돌고 있다.

진심을 담은 말이 상대방의 가슴에까지 당도하지 못하는
슬픔이 이리도 클 줄이야. 소통의 시대에 불통으로 인한
무력과 단절을 느낀다. 우리에게는 언어 이상의 소통 수
단이 필요하다.

마음과 마음을 이어줄 수 있는.

돌고래는
칭찬받는 걸
좋아할까?

길들여진 돌고래가 칭찬 때문에 춤을 추는 것이라 생각하는가? 조련사의 의도에 맞는 움직임 뒤에 주어질 맛있는 생선 때문이다. 동물들은 훈련을 받는 동안 본능을 억제하기 때문에 수명이 줄어드는데 안내견 또한 이런 이유로 수명이 짧다고 한다. 나는 훈련 받아 말을 잘 듣는 순한 개보다 천방지축 뛰어다니며 사고치는 개가 더 개답다고 생각한다. 돌고래도 생존을 위해 사람들 앞에서 춤이나 추게 하는 칭찬보다 푸른바다에서 마음껏 헤엄칠 수 있는 자유를 원할 것이다. 필요 이상으로 남발하는 칭찬은 상대를 더 허약하게 만든다. **그래서 제대로 칭찬하는 일은 정말 어렵다. 도대체 세상엔 쉬운 일이 없다.**

목표

하루하루 목표 없이 사는 사람의 눈동자는 공허하다. 반면 목표가 너무 높은 사람은 현실과의 괴리감에 절망하기 쉽다. 달성하기 어려운 큰 목표를 세우는 사람보다 작고 소소한 목표를 세우는 사람이 오히려 행복할지도 모른다. 목표를 쉽게 달성해도 공허함과 지루함에 빠지기 쉽다. 원하는 것을 얻으면 또 다시 결핍에 시달리기 때문이다. 현실의 벽에 부딪히더라도 좌절할 필요는 없다.

목표를 달성한다는 것은 또 다른 목표의 시작이니,
목표를 향해 오늘도 한 걸음 나아갈 수 있음에
감사하면 된다.

울어도 괜찮아

조금 늦은 퇴근길, 지하철에서 한참 책을 읽는데 훌쩍거리는 소리가 들려 조심스레 고개를 돌려 보니 옆자리 여성이 울고 있었다. 내가 보든 말든 그녀는 계속 훌쩍거리며 손으로 눈물을 닦고 있었다. 그냥 모른 체 할까 하다가 가방에서 물티슈를 꺼내서 건넸다. 고개를 살짝 숙이며 인사를 하고는 눈물을 닦으면서도 울음을 그칠 줄 몰랐다. 고개를 드니 앞에 앉은 사람들과 눈이 마주쳤다.

아…
내가 울린 거 아닌데…
모르는 사이인데….

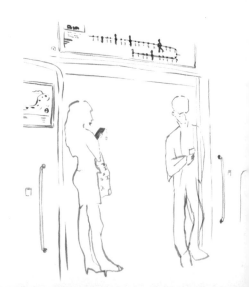

그녀가 우는 까닭은 알 수 없지만 내심 부러운 마음이 들었다. 내 나이의 남자들은 울고 싶어도 참고, 마음 놓고 울 수조차 없기 때문이다. '울면 좀 어때?'라고 하는 사람도 있지만 그게 말처럼 쉽지 않다.

그래, 그렇게 펑펑 울고 나면 시원하겠지.

앤의 생각

세상이 내 맘 같지 않은 이유는 내 맘이 세상 같지 않아
서이다. 어릴 적 읽었던 동화 〈빨강머리 앤〉에 나오는 말
처럼 생각대로 되지 않는다는 것은 얼마나 신나는 일인
가. 생각지도 못한 일들이 일어난다는 뜻이니까.
그래서 세상은 기대해 볼 만하다.

제비 한 마리

남자는 나이가 들고 경험이 많아질수록 겉모습이 듬직해지고 중후해진다. 그런데 오히려 마음은 어린아이같이 소심해질 때가 많다. 별 말 아닌데도 친구의 한 마디가 가슴을 후벼 파고, 아무 생각 없이 읽은 SNS 댓글 때문에 며칠씩 잠을 이루지 못하기도 한다.

버릴 것은 버리고, 보낼 사람은 보내고, 그렇게 의연하게 세상을 바라보고 싶다. **제비 한 마리가 왔다고 해서 봄이 온 것이 아님을 아는 나이가 됐으니.**

인생은 여행이다.

고속도로를 이용한 원거리 출퇴근이 잦아지니
몸도 마음도 피곤하다.
손바닥처럼 빤히 아는 길이지만
내비게이션을 켠다.

쓸쓸하니까….

휴게소에서
커피 한 모금과 우동 한 그릇이
소소한 휴식을 준다.
그리고 아이들 줄 호두과자를 살 수 있어 좋다.
과자 하나씩 입에 물고
활짝 웃어줄 모습을 생각하며
다시 시동을 건다.

여
행
길

요즘 것들 VS 꼰대

요즘 젊은이들은
발랄하고 착해서 예쁘고 기특하다.

나이 많은 어르신들은
지혜롭고 경험이 많아 든든하다.

**다른 세대를 이렇게 여겨준다면
얼마나 좋을까?**

젊은 것들, 새파란 놈들, 버릇없는 것들,
영감탱이, 할망구, 노친네, 꼰대….

어느 시대를 막론하고
다른 세대를 부르는 호칭은 이렇게 까칠하다.
늘 각 세대의 입장에서 상대방을 보면
마음에 들지 않기 때문이다.

소크라테스, 플라톤, 아리스토텔레스 시절의
대화에도 이런 내용이 나오지 않는가.
"요즘 젊은 것들은 버릇이 없어!"

우아하게 나이 먹기

20대가 공식적인 성인으로 인정은 받지만 30대가 보기에는 아직 어리다. 30대도 40대가 보기에는 아직 청춘이다. 어르신들의 눈엔 우리 모두 어린 아이이고 젊다. '내가 저 나이라면 못할 일이 없을 텐데'라고 생각할 것이다.

어느 시대에나 청춘은 힘들고 불안하며 어려움과 두려움에 가득 찬 시기이다.

나이가 들면 할 수 있는 일들보다 할 수 없는 일들이 더 많아진다. 나이가 들면서 체면이나 다른 사람의 시선을 조금 덜 의식할 수 있다면 신나는 일들을 많이 만날 수 있을 것이다.

이왕 나이 먹는 거,
좀 더 즐겁고 우아하게 먹었으면 좋겠다.

세상의 길

'길을 잃었다'고 하는 사람들이 많다.
'길을 잃었다'라는 말은 목적지를 모르고 어디로 가야 하
는지 모르는 사람에게는 해당되지 않는다. 분명하고 뚜
렷한 목표가 있는 사람은 어떻게든 길을 찾아 간다.

죽은 물고기는 물이 흐르는 대로 흘러가지만,
살아있는 물고기는 물을 거슬러 올라간다.
**사는 대로 생각하지 말고, 생각하는 대로 세상을 산다면
길은 다시 찾을 수 있다.**

진정한 행복

한 친구는 평생 열심히 일해서 꽤 큰 회사의 사장이 되었다. 그럴듯하게 꾸미고 사는 것이 바람이었던 그 친구는 국내 최고의 주상복합 아파트를 마련해서 잘 꾸며 놓았다. 그런데 남 부러울 게 없을 것 같은 그 친구가 헛웃음을 지으며 말했다.

"잘 꾸며 놓고 살고 싶어서 그렇게 열심히 일했는데 뭔가 잘못돼도 한참 잘못됐어."

그럴만도 하다. 늘 바쁜 부부는 아침 일찍 집을 나서고 밤늦게 귀가한다. 그러다 보니 정작 잘 꾸며 놓은 집에서 종일 살고 누리는 사람은 그 집 가정부였다.

무
소
유

무소유의 참된 의미는 정말 아무것도 가진 것이 없다는
의미가 아니라 내가 가진 것에 얽매이지 않는다는 뜻이
다. 내가 가지지 못한 것에 마음 쓰며 살기보다 이미 내
가 가진 것에 감사하며 살라는 뜻이다.

나도 이미 많은 것을 가졌음을 깨달을 때이다.

말이란

'내 말은 그 뜻이 아니었는데 왜 그렇게 생각하는 거야?'
'저 사람은 왜 내 말을 저렇게 이해하는 거지?'

조언을 구하는 지인에게 성심 성의껏 상담을 해준 날이
었다. 그러나 그날 이후로 그 지인의 태도가 눈에 띄게
바뀌었다. 연락이 뜸해지고 SNS에 댓글도 뚝 끊기더니
결국 친구목록에서 나를 삭제해버렸다. 영문을 알아 봤
더니 내가 해준 조언을 오해하고 있었던 모양이다. 의도
는 그게 아니었다고 사과하면서 바로 잡았고, 다행히 우
리 사이는 다시 전처럼 회복되었다.

내 입에서 나간 말이 내 말이 아니라 상대방 귀에 들린
말이 내 말이다. 입 안의 도끼를 제멋대로 휘두르면 상대
방은 치명적인 상처를 입게 되고 결국 부메랑처럼 자신
에게 돌아오게 된다.

머피의 법칙은 없다 I

지하철에서 힘겹게 자리를 잡아 앉게 되면 왜 항상 어르
신들은 내 앞에만 서는 것일까.
내가 젊어 보이나?

바쁜 아침 출근을 위해 택시를 잡으려고 서 있으면 왜 사
람들은 내 앞에서 새치기를 하는 것일까.
내가 여유 있어 보이나?

퇴근길 엄청나게 막히는 차들 중에 왜 내 앞으로만 끼어
드는 것일까. 내가 잘 끼어 줄 것 같이 보이나?

그런가 보다!
기분 좋다!

속도보다 방향이다

안개 자욱한 출근길이다. 이런 날은 속도도 줄이고, 앞차
와의 간격도 벌리고, 라이트고 켜고, 옆에서 끼어드는 차
에도 더 신경을 쓰게 된다. 앞이 안 보인다는 것은 조금
쉬어가라는 뜻이고 조금 천천히 가라는 뜻일까. 한 치 앞
도 내다보기 힘든 인생의 안개 속에도 왜 그토록 가속페
달만 밟으며 달려온 건지 무엇을 위해 앞으로 앞으로 치
닫으려만 한 건지…

그래도 괜찮다.
어차피 해가 뜨면 저 안개들은 다 사라진다.

지금
달려와 줄 사람

인간관계에 대해서 강의를 할 때였다. 핸드폰에 전화번
호가 몇 개 저장되어 있는지 물어봤더니 대부분 수백 명
이 넘게 저장되어 있었다. 전화번호가 1천 명이 넘게 저
장되어 있는 사람도 꽤 많았다.

나는 바로 수강생들에게 숙제를 냈다.

"지금 문자를 보내서 보고 싶으니 한 시간 후 이 강의실
앞으로 와달라고 하면 진짜 달려와줄 사람의 이름을 써
보세요."

그러자 전화번호가 1천 명이 넘게 저장되어 있다고 대답
했던 한 남성의 얼굴이 빨개지며 고개를 절레절레 흔드
는 것이었다.

"왜 그러시죠?"

"아… 지금… 와줄 수 있는 사람이 있는지 자신이 없네요… 나름 인간관계가 넓다고 자신했는데….”

강의가 끝난 후 그 남성은 나를 찾아와 인간관계에 대한 상담을 요청했다. 내가 정답을 가진 것은 아니지만 그냥 내가 매일 하는 방법을 설명했다.

"아침에 오늘 할 일을 생각할 때 소식이 뜸했던 사람을 한 명 정해서 그날 연락을 하지요. 문자도 좋고 메신저도 좋아요. 그리고 마침 둘 다 약속이 없어 식사를 같이 할 수 있으면 더욱 좋아요. 그럼 다음에는 그 사람에게서 먼저 연락이 오기도 하더군요.”
인간관계에 정답이 있을까?

그저 남들이 내게 해주었으면 하는 일을 내가 먼저 하는 것이 좋은 방법이라 생각한다.

잉어빵 아저씨

야근 후 늦은 퇴근길이었다. 동네 모퉁이 리어카에 사람들이 줄을 길게 서 있었다. 늦게까지 공부하고 있을 딸아이가 생각나 나도 줄을 섰다. 붕어빵이 아니라 잉어빵을 판다고 해서 궁금하기도 했다. 젊은 잉어빵 아저씨는 무슨 일이 있어도 한 사람에게 일정 양 이상은 팔지 않는다. 살짝 항의하는 손님에게는 친절하게 자초지종을 설명한다.

"제가 하루에 만들 수 있는 양은 정해져 있는데 그보다 많은 손님들이 잉어빵을 사러 오시니 가능하면 많은 분들께 맛을 보여드리고 싶어서 그럽니다. 양해 부탁합니다."

그러면서 잉어빵을 사 가는 모든 사람에게 진심이 묻어나는 감사 인사와 덕담을 건넨다. 그래서인지 여러 명의 손님들이 일부러 와서 반갑게 인사하고 반찬이며 양말이며 소소한 선물을 전해주고 가는 것이었다.

손님들에게 인기가 많은 비결을 물으니 머리를 긁적이며 '저도 잘 모르겠어요'라고 한다. 그런데 잠시 지켜보니 나는, 아니 모든 사람이 그 이유를 잘 알 듯하다.

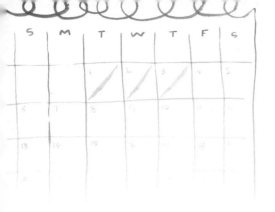

작
심
삼
일

연초, 월초에는 갖가지 계획을 실행에 옮기려 하지만 작
심삼일에 그치는 경우가 많다. 그리고 '어차피 작심삼일
인데 뭐 하러 해'라고 하는 사람들도 있다.

작심삼일 백 번이면 일 년이다.
시도도 하지 않는 것보다
작심삼일을 여러 번 경험하는 것이
백 번 나을 것이다.

그러다 보면 습관이 된다.

고맙습니다,
감사합니다

은행에서 근무할 때의 일이다.

30여 년간 근무한 후 정년퇴임을 하시는 선배님 한 분이 마지막 퇴근길에 은행 입구에 서서 은행을 향해 정성스레 절을 세 번 하시는 것이었다. 그리고 두 손을 모으고 이렇게 말씀하셨다.

"고맙습니다, 감사합니다."

모두 경건히 그 모습을 바라보고 있었다.

3

비
온

날

말하기는 기술,
듣기는 예술

에이브러햄 링컨이 말했다.

"침묵을 지킴으로써 바보가 아니냐는 의심을 사는 편이,
입을 열어 바보라는 사실을 증명하는 것보다 낫다."

말하기는 기술이다. 말을 잘하는 사람은 좋은 기술을 가
진 것이다. 그러나 듣기는 예술이다. 예술가의 경지에 이
를 만큼 성숙하지 않으면 남의 말을 잘 들어줄 수 없다.
좋은 관계의 시작과 끝은 잘 들어주는 것이다. 내 입이
열리면 상대방의 입술이 닫히고, 내 귀가 열리면 상대방
의 마음이 열린다. 자신의 입은 닫지 않고 상대의 마음
을 얻는 것은 불가능하다. 말할 타이밍을 놓쳐서 기회를
잃는 경우보다 말을 많이 해서 사람을 잃는 경우가 더 많

다. 지식은 어떻게든 말하려 하지만 지혜는 들으려 한다. 할 말만 있고 들을 말이 없는 사람들이 세상을 시끄럽고 어지럽게 한다.

세치 혀를 통제하는 것이 사람을 얻는 열쇠가 된다.

머피의 법칙은
없다 Ⅱ

내가 지원하려던 회사는 그해 경쟁률이 사상 최고였고,
내가 대출받아 집을 샀더니 집값이 떨어졌고,
내가 꼭 사고 싶었던 신상을 사러 가니 좀전에 다 팔렸다
고 한다.

이렇게 생각하는 것을 '자기 선택적 편향'이라고 한다.
흔히 '머피의 법칙'이라 부르기도 한다.
'나는 왜 이리 재수가 없을까.'
'나는 왜 하는 일마다 잘 안 풀릴까.'

이렇게 생각해봐야 자기 손해다.
불행이 당신을 따라다니는 것이 아니다.
다른 사람들도 당신과 같은 시간대에,
같은 생각을 가지고 움직이기 때문이다.

우리가 운명을 결정할 수는 없다.
그러나 그 운명에 대한 태도는 결정할 수 있다.
세상에 '머피의 법칙'은 없다.

길에 떨어진 동전

우크라이나에서는 길에 동전이 떨어져 있어도 줍지 않는다고 한다. 그리 잘 사는 나라는 아니지만 자신보다 어려운 사람이 주워서 사용하도록 배려하는 것이다. 심지어는 일부러 거리에 동전을 떨어뜨려 놓는 경우도 많다고 한다. 한동안 어려운 사람을 위해 미리 커피 값을 계산해 놓는 '서스펜디드 커피(Suspended Coffee)'가 유행하기도 했다. 말을 타고 달리다가도 뒤따라오는 영혼을 위해 잠시 멈춰서 기다려준다는 아메리카 인디언처럼 숨가쁜 삶의 경주에서도 잠시 숨을 고르고 주위를 돌아보고 살펴보는 여유쯤은 있어야 하지 않겠는가. **알지 못하는 누군가에게 동전 한 닢, 커피 한 잔 나눠줄 수 있는 여유가 빡빡한 사회의 윤활유가 되는 게 아닐까.**

4:3:3 법칙

높은 산을 오를 때 알아두어야 할 것은
4:3:3 법칙이 있다는 것이다.

전체 10의 힘이 내게 있다면,
올라갈 때 4의 힘을 쓰고, 내려갈 때 3의 힘을,
그리고 산에서 내려왔을 때 3의 힘이 남아 있도록
체력을 분배해야 한다는 것이다.

우리는 산을 오를 때
10의 힘을 다 써가며 전력을 다하는 데 익숙해져 있다.

**인생이란 산을 오를 때도 이와 같은 법칙으로
적절한 힘의 분배가 필요하다.**

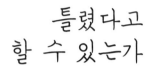

틀렸다고
할 수 있는가

사람이 죽었을 때 화장을 하는 것이 일반화되어 있던 페르시아에서 왕 다레이소스가 인도의 칼라티아이족을 불렀다. 그 부족은 부모가 죽으면 그 시신을 먹는 장례 풍속이 있었는데, 무엇을 해주면 부모의 시신을 먹지 않고 화장하겠느냐고 물었다. 칼라티아이족은 비명을 지르며 "그런 예의 없는 말은 하지 말아 주소서!"라고 호소했다. 부모의 시신을 먹으면 영원히 그들과 함께 있게 된다는 믿음 때문이다. 사람들의 생각은 나고 자란 배경과 환경에 따라 모두 다를 수밖에 없다. 문화나 관습이란 그런 것이다.

옳고 그름의 문제가 아닌, 다름의 차이일 뿐이다.

낮은 곳으로

제아무리 기세등등하게, 때론 거만하고 도도하
게 흘러도 물은 모두 바다로 흘러든다. 바다는
모든 물을 공평하게 다 받아들인다. **바다에 물
이 모이는 이유는 자신을 가장 낮은 곳에 두기
때문이다.**

불량 제로

낙하산을 만드는 한 회사의 CEO는 불량 제품 때문에 고
민이 많았다. 낙하산의 불량은 목숨과 직결되는 문제이
기 때문이었다. 그는 고민 끝에 사규를 만들어 이 문제를
완전히 해소했다.

> 자신이 만든 낙하산은 본인이 직접 테스트를 한다

남자의 자신감

에이브러햄 링컨은 선거에 낙선하고는 곧바로 음식점으로 달려갔다. 그러고는 배가 터지도록 음식을 먹었다. 그다음에 이발소로 가서 머리를 단정하게 다듬고 기름도 발랐다.

"이제 아무도 나를 낙선한 사람으로 보지 않을 것이다. 배가 든든하고 머리가 단정하니 내 걸음걸이가 곧을 것이고, 내 입에서 나오는 목소리는 힘찰 것이다. 이제 나는 다시 시작한다. 다시 힘을 내자."

그는 미국의 제 16대 대통령이 되었다.

학습된 무기력

코끼리는 사실 그다지 온순한 동물이 아니다. 아프리카
에서도 코끼리와 마주치면 가까이 가지 말고 도망을 가
야 한단다. 사람을 태우고 다니거나 우리가 가끼이서 볼
수 있는 코끼리는 길들여진 코끼리다. 처음 코끼리를 길
들일 때는 아주 어릴 때부터 튼튼한 말뚝에 묶어 놓는다.
코끼리는 몇 주 동안 몸부림을 치며 안간힘을 쓰다가 자
신의 힘으로는 어쩔 수 없는 것이라 생각하고 포기하고
만다. 나중에 커서 힘이 세져도 말뚝에서 탈출하는 것은
불가능한 일이라 생각하여 시도도 하지 않는다.

과거의 경험과 기억이 현재는 물론이고 미래까지 영향을
미치는 경우가 많다. 아프거나 슬픈 기억일 경우는 이런
경향이 더 강하다. 어릴 적, 개에 물려서 개를 무서워 한

다거나, 물에 빠졌던 경험이 있어 물에 대한 공포심이 있다거나, 이런 과거의 나쁜 기억 때문에 삶 전체가 요동치는 일은 없어야 한다.

나쁜 기억은 서둘러 잊는 것이 상책이다. 길을 가다 돌부리에 걸려 넘어지듯 조금 부주의했던 것일 뿐이라고, 먼지 묻은 옷을 털면 그뿐이라고 여기면 어떨까.

걱정해서
걱정이 없어지면
걱정이 없겠네

냉동 탑차에 갇혀 있던 남자가 죽은 채로 발견되었다고
한다. 차 안에서는 '점점 추워진다. 몸이 얼고 있다'는 낙
서가 발견되었고. 사망원인은 저체온증으로 밝혀졌다.
그런데 정작 그 냉동 탑차는 냉동기능이 이미 고장이 나
있었다고 한다. 자신이 만든 공포와 그릇된 믿음이 죽음
으로 몰고 간 것이다. 이를 '플라시보 효과'의 반대 개념
인 '노시보 효과'라 한다.

어니 J. 젤린스키는 인간이 하는 걱정의 40퍼센트는 절대
일어나지 않을 일이고, 30퍼센트는 이미 일어난 일이며,
22퍼센트는 사소한 사건이고, 4퍼센트는 바꿀 수 없는 일
이며, 4퍼센트만이 직접 대처할 수 있는 진짜 사건이라고

말했다. 우리가 힘들게 걱정하고 고민해서 직접 영향을 끼칠 수 있는 부분은 4퍼센트에 불과하다는 것이다.

고작 4퍼센트에 해당하는 걱정이란 놈 때문에 우리의 삶을 지배하도록 두는 것이 얼마나 억울한 일인가.

에스키모인의 막대기

에스키모인들은 화가 나거나 속상할 때 집을 나와 무작정 걷는다고 한다. 하염없이 걷다가 좀 진정이 되면 그 자리에 막대기를 꽂아 놓고 돌아온다. 살다가 또 안 좋은 일이 있으면 다시 벌판을 걷는다. 걷다가 진정이 됐는데도 전에 꽂은 막대기가 보이지 않으면 '그래도 지난번보다 낫네'라고 스스로 위로하고 돌아오고, 막대기가 보이면 지난번을 생각하며 조금 더 걷다가 마음을 추스른 후 막대기를 꽂고 돌아온다고 한다. 막대기가 꽂혀 있는 거리를 비교하며 자신을 되돌아본다는 것이다.

걷기를 싫어하는 나지만 어제 버스로 일곱 정거장 정도의 거리를 걸어야 했다. 내 안의 나를 되돌아보는 시간이었지만 앞으로는 어제와 같은 마음으로 이보다 더 멀리 걷는 일은 없었으면 좋겠다.

우리는 연기자

얼굴만 봐도 싫은 상사 앞에서
웃으며 아양을 떨어야 하는 직장인
회사에서 속이 상하고 화가 났지만 아무 일이 없었던 듯
웃으며 현관문을 열고 들어가는 아빠
이 모든 것을 알면서도 모르는 척
활짝 웃으며 맞아주는 엄마
부모님이 돌아가셨는데도
남들 앞에서 웃겨야 하는 개그맨

우리는 모두 재능 있는 연기자다.

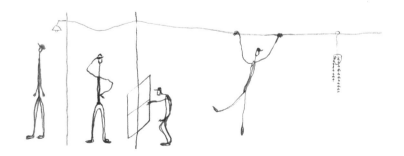

어떤
안경을
쓰고 있는가

산촌에서 자란 아이에게 해는

이쪽 봉우리에서 떠서 저쪽 봉우리로 진다.

어촌에서 자란 아이에게 해는

이쪽 바다에서 떠서 저쪽 바다로 진다.

아파트촌에서 자란 아이에게 해는

이쪽 동에서 떠서 저쪽 동으로 진다.

자기 눈에 보이는 대로 받아들이니 모두 정답이다.

그러나 자신이라는 한계를 벗어나면 또 다른 진리가 존

재한다. 온 세상을 핑크빛으로 물들이고 싶어 하던 퍼시

대왕에 관한 서양동화가 있다. 온갖 노
력을 해봤지만 하늘까지 핑크색으로 바
꿀 수 있는 유일한 방법은 자신이 핑크
색 선글라스를 쓰는 것이었다. 세상은
그대로인데 내가 안경을 바꿔 쓰면서 자
꾸 세상이 변한다고 한다. 세상은 내가
쓰고 있는 안경에 따라 다르게 보이는
것이니 내가 어떤 안경을 쓰고 있는지
를 아는 것, 이것이 참 어렵다.

겸손의 이유

성공했을 때는 창밖을 보고
실패했을 때는 거울을 보라.

성공했다면 자신을 둘러싼 주위 도움의 손길 덕분인 줄
을 알고 겸손해야 하고 실패했다면 내 자신에게서 이유
를 찾고 더욱 더 겸손해야 한다는 말이다.

성공했든 실패했든 겸손하지 않을 이유는 없다.

웃는 시간

인간이 보통 80세까지 산다고 하면
TV 보는 데 10년, 잠자는 데 26년, 일하는 데 30년,
양치질과 화장실 가는 일에 4년,
화내는 일에 3년을 사용한다.
그런데 하루 10번 웃는다고 가정하면
고작해야 하루에 5분,
평생 웃는 시간은 100일도 되지 않는다.

인지상정

드와이트 아이젠하워는
'비관론자는 어떤 전투에서도 승리하지 못했다'라고 했다.

세상 탓만 하고 앉아 소주잔만 기울이는 사람에게는,
좋은 일이 일어나지 않는다.
만나면 기운이 나고 기분 좋은 사람은 없는 시간을 쪼개서
라도 함께하고 싶다. 하지만 늘 세상을 비관만 하는 사람
은 아무리 시간이 넉넉해도 어떤 핑계를 대서라도 피하고
싶은 것이 인지상정이다.

가장 위험한 곳

세상에서 가장 위험한 곳은 어디일까?
인류의 80% 이상이 이곳에서 죽는단다.

그곳은 침대다.
이 위험한 곳에서 밤새 지내다 무사히 세상 밖으로 나왔
으니 오늘 하루 어찌 즐겁고 감사하지 아니한가.

알겠습니까

외국에서 자라서 한국말이 서툰 청년이 군대에 입대하게
되었다.

"여기 화장실이 어디에요?"

훈련소 조교에게 묻자 불호령이 떨어졌다.

"군대에선 '요'자를 쓰지 않습니다! '다, 나, 까'로 끝나게
말해야 합니다. 알겠습니까!"

신병이 대답했다.

"알았다!"

톨스토이의
씨앗

톨스토이의 글에는 씨앗을 심고 싹트는 것이 궁금한 사람이 자주 흙을 파내고 씨앗을 확인하다가 결국 씨앗이 썩어버리고 열매를 맺지 못한 이야기가 나온다.

밥이 잘 되는지 뚜껑을 계속 열어서 확인하다 보면, 밥인지 죽인지 모를 작품이 나온다.

모든 이치가 이러하듯 인간관계에도 예외는 없다.

사람이 좋은 사람인지 아닌지 계속 확인하려다가 오히려 낭패를 볼 수도 있다.

순리대로 차분하게 기다려야 하는 것들이 있다.

모든 일에는 기다림이 필요하다.

생각의 방향

물은 위에서 아래로 흐르지만 생각은 어
디에서 어디로 흐를지 갈피를 잡을 수 없
다. 이 생각이 꼬리에 꼬리를 물다가 우리
를 지배해서 우리 삶을 아무것도 아닌 것
으로 여기게 하기 때문이다.

때로는 표류하는 생각의 방향을 의도적으
로 결정해야 할 필요가 있다.

구조조정으로 인해 명예퇴직을 당한 것이
아니라 노후 대비를 위해 스스로 나온 것.

'남들 다 외면하는 쓰레기를 내가 치우게
되어 생고생하는 것'이 아니라 '나는 지구
의 한 쪽을 아름답게 하고 있다는 것'

생각의 방향을 어떻게 돌리는가에 따라
우리 행동이 바뀌고, 습관이 바뀌고, 인
생이 바뀐다.

도전과 도피

회사에서 한 후배가 늦기 전에 새로운 도전을 해보고 싶다며 퇴직을 한다고 했다. 사실 그가 부서에서 평가도 좋지 않고 대인관계도 원만하지 않아 곧 회사를 떠날 것 같다는 소문을 들은 적이 있었다. 그런데 많은 시간이 지난 지금도 새로운 도전을 하고 있다는 것이다. 그는 내게 새로운 도전을 한다고 선언했지만 일종의 도피를 선택했던 것이다. 새로운 일이 무조건 가슴 뛰는 도전은 아니리라. 지금의 일이 안정적이고 전망이 좋다 해도 내 가슴을 뛰게 하는 일을 위해 가능성을 찾아 자신을 던지는 것이 도전이다. 어려운 현실을 잠시 피하고 싶은 마음에 선택하는 도피와는 차원이 다르다.

도전과 도피는
한 글자 차이처럼 보이지만
인생을 송두리째 바꿀 수 있을 정도로
중요한 선택이다.

재미있는 인생

비오는 날을 별로 좋아하지 않지만
화창한 날만 계속되면 온통 사막이 될 게 아닌가.

강한 바람은 부담스럽지만
잔잔하기만 하면 공기와 바다가 고여서 썩을 게 아닌가.

좋은 말을 해주는 사람만 있으면 좋겠지만
그러면 내가 어떤 사람인지 알 수 없지 않겠는가.

늘 좋은 일만 있으면 좋겠지만
그러면 인생의 한 면만 알게 되지 않겠는가.

신은 누구의 편일까

투명한 초록이 아름다운 오월의 어느 날이다.
내일 소풍을 가는 어린아이가 간절히 기도한다.
제발 비가 오지 않게 해달라고.
모내기를 해야 하는 농부가 하늘을 보고 간절히 기도한다.
어서 비를 내려달라고.

신은 누구의 편을 들어줄 것인가.
그건 그 분의 영역이다.
도무지 이해가 가지 않는 일이 많이 벌어져도 이 세상은
톱니바퀴처럼 기가 막히게 돌아간다.
신은 지구의 편이다.

길들여진 창의력

물이 반쯤 들어있는 컵을 보여 주고 어떤 생각이 드는가
라고 물으면 열에 아홉은 이리 대답할 것이다.

"물이 반이나 있어요!"

'물이 반 밖에 없어요'라고 대답하는 것은 부정적인 사고
인 반면, '물이 반이나 남았어요'라고 하는 것이 긍정적
이고 창의적인 사고라고 학습되어 이미 모범답안을 알고
있는 현대인들.

그러나 개그맨들의 대답은 달랐다.

"마시고 싶어요."
"아! 물을 더 준비해야겠네."
"저 물 먹어도 되는 건가요?"
미국의 코미디언 조지 칼린은 이렇게 말했다.
"컵이 너무 크군요!"

늘 정해진 답을 암기하며 살아온 우리는 창의력과 순수함
마저 길들여져 가고 있는 것은 아닐까?

씨앗 속의 열매

사과, 배와 같은 열매 속에는 몇 개의
씨앗이 들어 있는지 알 수 있다. 그러
나 그 씨앗 속에서 몇 개의 열매가 열
릴지는 알 수 없다. 현재의 크기를 보
고 씨앗을 우습게 여긴다면 좋은 열매
를 얻을 수 없다. 좁쌀만한 겨자씨가
얼마나 커질 수 있는지를 보라.

껍데기일 뿐

빨간 사과, 연둣빛 사과, 그리고 노오란 사과를 모아 놓으면 그야말로 알록달록 총 천연색이다. 그러나 껍질을 깎아 놓으면 속살은 모두 흰색이다. 대기업 회장도 교회 목사도 평범한 직장인도 집 없는 노숙자도 사우나를 할 때는 모두 알몸이다. 화장실도 한 번에 한 칸씩 사용하고, 죽어서 들어가는 관도 하나다. 한낱 껍데기에 우린 너무 많은 차이를 부여하고 있다.

속
담

이
야
기

서로 의미가 상반되는 속담들은
적절한 상황에 사용하면 다 맞는 말이 된다.

사람이든 도구든 상황과 환경에 따라
약이 될 수도, 독이 될 수도 있다.

아는 게 힘이다.
모르는 게 약이다.

시간은 금이다.
금 보기를 돌같이 하라.

열 번 찍어 안 넘어가는 나무 없다.
못 오를 나무는 쳐다보지도 마라.

빛 좋은 개살구.
보기 좋은 떡이 먹기도 좋다.

돌다리도 두드려보고 건너라.
쇠뿔도 단김에 빼라.

하룻강아지 범 무서운 줄 모른다.
미친개가 호랑이 잡는다.

말 한마디로 천 냥 빚을 갚는다.
좋은 말만 하는 자가 너에게 빈 숟갈을 줄 것이다.

쇼펜하우어는 인간의 삶과 꿈은 같은 책 속에
있는 각각의 다른 페이지들이라고 했다. 우리
는 모두 인생이라는 나만의 책을 쓰고 있는 사
람들이다. 어떤 페이지는 흥미진진하고, 어떤
페이지는 고요하다. 잔잔한 가족 드라마도 있
고, 막장드라마 뺨치는 페이지도 있다. 형형색
색의 색깔과 서로 다른 향기가 묻어나는 페이
지들도 있고, 도무지 일관성 없어 보이는 이야
기들이 펼쳐진 페이지도 있다.

전혀 관련이 없어 보이는 맥락들이지만 꼭 알
아야 할 것은 이 이야기들 모두가 인생이라는
한 권의 책 안에 담겨 있다는 것이다.

인생이라는 책

빛

이 시대는 빛이 나는 사람을 좋아한다. 화려하고 돋보이기는 하지만 화려한 빛이 나는 사람과 함께 있으면 그 모습을 보기 위해 미간을 찌뿌려야 한다. 그래서 나는 혼자만 빛나는 강력한 빛보다 주위를 잔잔히 밝히는 은은한 빛이 좋다. 은은한 빛을 발하는 사람 옆에서는 인상을 쓰지 않고 편안한 미소를 지을 수 있다. **은은한 빛을 뿜는 사람들이 있어 세상 구석구석이 따뜻해진다.**

불편한 것과
불행한 것

누가 봐도 부족한 것 없어 보이는 한 친구는 입만 열면
불평을 한다. 겉으로는 완벽해 보이지만 더 편하지 못해
불행하다고 한다. 편안한 삶 자체가 목표라면 조금만 어
렵고 불편해도 행복을 느낄 수 없다. 불편하다고 불행한
것은 아니다. 인류 역사상 가장 최고의 편리함을 누리는
요즘, 불편한 것이 불행하다고 느끼는 사람들이 많아지
는 것은 아이러니다.

모자이크 퍼즐

인생은 모자이크 퍼즐과 같다. 하루하루 따로 떼어서 살펴보면 어떤 인생인지 잘 보이지 않는다. 전체를 봐야 비로소 알 수 있다. 힘겹게 살아온 나날들은 인생의 한 귀퉁이를 장식한 아름다운 부분이다.

삶은 저절로 살아지는 것이 아니다. 삶은 살아내는 것이다. 여태까지 잘 살아낸 우리는 스스로 토닥토닥 위로를 받을 만하다. 때로는 검은색, 때로는 노란색, 때로는 빨간색과 파란색… 각각의 조각들은 천차만별이고 모양을 알 수 없지만 우리는 아름다운 모자이크 퍼즐을 맞추며 살아왔다. 힘겨웠던 삶을 돌아보면 우리는 박수 받을 만하다.

지금 힘들어도 우리는
인생의 아름다운 부분을 채워 넣는 중이다.

위대한 삶이란

바흐의 무반주 첼로 모음곡으로 유명한 첼리스트 파블로 카잘스는 청중의 마음을 밑바닥부터 감동시키고 진심의 울림을 주는 연주로 유명하다. 고향이 같은 피카소와 더불어 금세기 최고의 예술가 중 한 명이라 칭송 받는 그는 90세가 넘어서도 연습을 쉬지 않았다.

한 제자가 물었다.
"선생님은 왜 계속 연습을 하는 것입니까?"
카잘스는 웃으며 답했다.
"연습을 하면 실력이 조금씩 향상되기 때문이라네."

나이가 든다고 저절로 성숙해지는 것은 아니다. 이 시대
에 갈수록 성숙함을 갖춘 사람을 찾아보기 어려운 이유
는 우리 스스로가 내면을 채우기보다 화려한 겉모습에
더 마음을 쏟고 있기 때문이다.

아름답고 성숙하게 나이 든다는 것은
평생의 숙제다.

나무처럼

아픈 상처, 고통스러운 기억, 억울했던 일 등 과거의 일들로 현재의 삶을 제대로 꾸려가기 어려운 사람들이 있다. 과거의 사슬에 매여 있는 사람은 행복이 찾아와도 그 행복을 맘껏 누리기 어렵다. 언제 이 행복이 끝나고 또 다시 불행이 찾아올지 모른다는 불안감을 늘 지니고 있기 때문이다. 물론 과거를 통해 교훈과 지혜를 얻어야 한다. 그렇지만 우리의 시야는 미래를 향해야 한다.

뿌리는 과거에 둘지언정, 줄기인 현재는 열심히 살아야 하고 가지는 미래를 향해 자신 있게 뻗어야 한다.

하늘이 무너지는 일

회의에 늦을까 봐 허겁지겁 지하철에 겨우 올라탔는데
회의자료를 집에 놓고 온 것을 깨닫는 일
수능을 몇 분 앞둔 수험생에게 자꾸 설사가 나오는 일
컴퓨터 하드가 고장 나 PC의 자료들이 모두 날아가는 일
티샷을 준비 중인 골퍼의 드라이버 헤드가 똑 부러지는 일 등
그야말로 하늘이 무너지는 일들이 아닐는지…

북한의 김정은이 핵실험을 감행해도
친부모가 어린 자식을 학대하다가 죽여 암매장해도
IS의 테러로 수백 명의 목숨이 사라져도
백여 명을 싣고 가던 비행기가 공중에서 행방불명 되어도
허리케인으로 수많은 사상자와 이재민이 발생해도
지구 곳곳에서 지진이 발생해 아비규환이 되어도

아무렇지도 않게 간식을 먹으며
멀뚱멀뚱 뉴스를 보고 있다.
이런 뉴스에 점점 무뎌져가는 나를 보면
무섭기까지 하다.

나이를 느낄 때

헬스클럽에서 운동 후 음식을 바리바리 싸 온
아주머니들과 같이 앉아 음식 먹으며 수다 떨고 있을 때
나보다 어린 프로야구, 프로축구 감독이 나올 때
새로 데뷔한 걸그룹 리더가 내 딸보다 어릴 때
약봉지에 적힌 글씨가 안경을 벗고 봐야 보일 때
전에는 입에도 안 대던 반찬이 맛있어질 때

드라마 속 주인공들의 갈등보다
주인공 부모의 고민에 더 마음이 쓰일 때
청춘이란 단어에 가슴이 아릿해져 올 때
작년 건강검진 때보다 키가 줄어 있을 때
결혼식보다 장례식에 더 많이 참석해야 할 때
하루하루 지나갈수록 지나간 시간들에 대한 미련이 커질 때

즐거운 인생

자신이 원하는 일만 골라 즐겁게 일하며 사는 사람이 몇이나 될까? 아무리 좋아하는 일도 직업이 되면 스트레스로 다가오게 마련이다. 이 책 원고작업을 하며 만난 편집장은 원래 책을 좋아했고 지금도 책을 편집하는 일을 너무 좋아한다고 한다. 좋아하는 일을 하며 돈을 버는 것이 너무 감사하다는 것이다.

어찌나 부러운지…

인생을 재미있게 살 수 있는 비결은,
재미있는 일만 골라서 하는 것이 아니라 내가 하는 일을
좋아하고 재미있는 것으로 만드는 것이다.

불편한 진실

아이들이 건강하게 쑤~욱쑥 자라기를 바라지만
자신은 더디게 늙기를 바란다.

호통이 잦은 시어머니를 욕하던 며느리도
세월이 지나면 그 시어머니를 닮아간다.

지금은 10년 전을 그리워하지만
10년 후에는 지금을 그리워할 것이다.

장사꾼들은 물건을 팔 때 손해보면서 파는 거니 깎지
말라고 하면서 그들도 물건을 살 때 값을 깎는다.

뭘 배울까

일본 부모는 자녀에게
남에게 폐를 끼치지 말라고 가르친다.

미국 부모는 자녀에게
남에게 양보하고 매너를 지키라고 가르친다.

한국 부모는 자녀에게
절대 남에게 지지 말라고 가르친다.

건강한 사회

"지금 공부 안 하면 더울 때 더운 데서 일하고 추울 때 추운 데서 일하게 돼."

고생하기 싫으면 공부하란 말이다. 그래서 그게 뭐 어떤가. 그럴 수도 있지. 이런 사람들이 있으니 이 사회가 잘 돌아가고 우리가 편히 지낼 수 있는 것 아닌가.

한창 공부할 때이니 다른 생각하지 말고 공부 열심히 하라는 당부의 마음은 이해가 가지만 우리 사회에 만연해 있는 일반적인 가치관이 기성 세대의 생각과 다르지 않은 것 같아서 씁쓸하다.

각자 자신의 분야에서 열심히 일하는 사람들이 먹고살기에 걱정 없는 사회는 여전히 멀기만 한 것일까.

그날을 기대하며

남의 말은 하기 쉽다. 자신도 다른 사람이 보기엔 남이
된다. 우리는 남에게는 엄격해도 자신에게는 너무 관대
하지 않은가. 많은 사람이 이 부분에서 걸려 넘어진다.

김영란법이 시행되었다. 아직 시행착오를 거치는 중이지
만 이 사회에 부패와 청탁 방지를 위한 본격적인 움직임
이 시작되는 것 같아 다행이다.

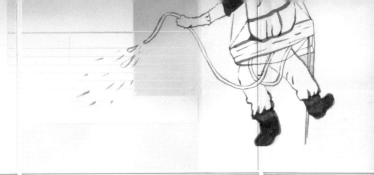

김영란법 시행 발표 후 어느 TV 프로그램에 출연한 외국인의 한마디가 계속 마음에 남아 잊히질 않는다.

"좋은 시도라고 생각해요. 그렇지만 한국에 이런 법이 필요할 정도로 부정부패가 만연해 있었다는 사실에 충격을 받았어요."

부끄럽고 얼굴이 화끈거리지만, 인정할 것은 인정하고, **지금보다 더 깨끗하고 투명한 사회를 만들어가기 위한 첫걸음이라 믿어본다.**

행복의 시소

'10억 원만 있으면 행복할 것 같아.'
병원 침대에 누워 있는 글로벌 기업의 회장님은 두 발로
걷는 것이 소원일 것이다.

'걸그룹으로 데뷔하기만 하면 바랄 것이 없겠어요.'
음원 차트 1위를 몇 달째 고수하는 인기가수는 남자 친구
와 길거리 데이트를 하는 게 소원일 것이다.

행복과 불행이 50대 50으로 팽팽하게 균형을 맞추는 시소가 있다. 이때 1만 행복에 더 주어져도 시소는 행복 쪽으로 기운다.

행복은 획득하는 것이 아니라 발견하는 것이다. 행복을 찾아 밖에서 기를 쓰고 찾아 다니지만, 행복이란 녀석은 치르치르와 미치르의 파랑새처럼 이미 우리 대문 밖에 있을지도 모른다. 미래의 행복을 위해 갖은 애를 쓰며 살고 있는 우리에게 현재 주어진 행복을 찾아내어 감사하는 마음으로 살아가는 것, 그것이 행복한 삶의 비결이 아닐까?

청중의 마음

내가 사는 아파트에는 토요일 오전이면 아름다운 피아노 연주가 울려퍼지곤 했다. 그러면 아파트 곳곳의 창문이 열렸다. 내가 창문을 여는 이유와 같을 것이다. 아름다운 연주를 더욱 선명하게 듣기 위해서이다.

'음대 교수라도 살고 있나' 했는데 초등학교 5학년 아이가 연습하는 거란다. 난 피아노 연주를 더 잘 듣기 위해

놀이터로 나가곤 했다. 그런데 어느 날부터 피아노 연주가 들리지 않았다. 시끄럽다고 누군가 민원을 제기했다는 것이다. '이런 예술도 모르는 무식한 사람이 있나'라는 생각이 들었는데 그 집에 고3 학생이 있다는 것이다.

공동주택에서는 참고 조심해야 할 일이 많다. 모두가 함께 사는 이 사회도 다르지 않을 것이다.

가
정

교
육

백화점에서 꼬마 아이가 예의 바르게 엄마에게 물었다.

"장난감 하나 사주시면 안돼요?"

교양 있어 보이는 엄마가 아이에게 존댓말로 조용히 타일렀다.

"안돼요. 오늘은 장난감 사러 온 게 아니랍니다."

"그래도 저 장난감은 친구들도 다 가지고 있단 말이에요. 하나만 사주세요."

"밖에서 자꾸 이러면 엄마가 어떻게 한댔죠?"

"죽여버린댔어요."

혼밥과 혼술

'혼밥', '혼술'
'함께'보다는 '나홀로'를 더 편하게 생각하는 사람들이 늘
고 있다.

나는 혼밥이란 말을 처음 들었을 때 잡곡을 섞어 먹는 혼
식을 말하는 줄 알았다. 당연히 혼술도 소맥처럼 여러 가
지 술을 섞어 먹는 것, 혹은 폭탄주를 의미하겠거니 생각
했다.

혼자 먹는 밥도 모자라 혼자 마시는 술이 유행이라니, 술
집에서도 혼자 술을 먹는 사람을 위한 자리와 메뉴를 준
비한다니 사실 조금 놀라고 서글펐다.
왜 이런 유행은 이토록 빨리 퍼지는 것일까.

아무리 개인의 자유와 개성이 중요시되는 시대라 하지만
인간은 기본적으로 외로움을 좋아하지 않는 존재이다.
혼자 있을 때 잠시 홀가분함과 편리함을 느낄 수 있겠지
만 결국 인간은 '함께'라는 말이 어울린다.

이 시대 우리에게 진정 필요한 화두는
'관심'인 듯하다.

운전 중에 든 생각

소통에 문제가 있는 사람은 커뮤니케이션의 흐름을 무시하고 자기 멋대로 말하고 행동한다. 이런 사람들은 어떤 일에도 동의하지 않거나 자신의 생각을 빨리 말하고 싶어 남의 말을 중간에 자주 끊는다. 운전도 소통의 문제란 생각이 든다.

운전을 잘 못하는 사람의 가장 큰 특징은 교통 흐름을 파악하지 못하는 것이다. 주위 교통상황이 어떻게 되든 말든 자신의 잘못된 운전 습관을 고집한다. 흐름을 못 따라가는 자신 때문에 차가 막히는지, 자신이 다른 차들의 진행에 방해가 되는지 도무지 관심이 없다. 이런 사람의 또 다른 특징은 브레이크를 자주 밟는다는 것이다. 안전거리를 유지해도 보고 있으면 불안하고 화가 치민다.

운전이든 소통이든
전체를 바라보는 눈이 필요하지 않을까?

불안

불안

초등학교 시절 준비물을 안 가져 왔다고 맞고,
중·고등학교 시절 성적 떨어지고 영어 단어 틀렸
다고 맞고, 재수생 시절 멀쩡히 길을 가다가 닭장
차(데모 진압용 경찰차량)에 끌려 들어가 맞고, 군
대 시절 하루에도 몇 번씩 집합 당해 이유도 모르
고 맞고, 이리저리 많이도 얻어터진 세대.
차라리 얻어맞는 순간은 괜찮았다.
맞기 위해 순서를 기다리는 그 순간이 오히려 더
불안하고 초조했다.

인간의 삶의 질은 더욱더 좋아지고 체벌도 없어진 요즘.
난 여전히 꼭 무슨 큰일이 일어날 것 같이 불안 불안하다.
마치 맞기 전에 순서를 기다리는 것처럼.

악취를 풍기는
주범들

아버지뻘 되는 하청업체 사장을 머슴 다루듯 하는 대기업 담당자들. 운전기사에게 인간 이하의 대접을 하는 회장들. 남의 가슴 아픈 일들을 이용해 자신들의 배를 채우려는 사람들. 권력을 등에 업고 시민들을 개돼지 취급하는 정치인들, 공무원들, 법조인들…. 주위에 똥파리들이 꼬인다고 불평하는 사람들이다. 자신들이 똥이니까 똥파리가 꼬이는 줄도 모른다. 똥만도 못한 인간들이 있어서 여전히 세상은 악취가 난다.

금수저와 흙수저

엄친아, 엄친딸에 이어 금수저와 흙수저라는 말이 유행이다. 가슴 아픈 신조어다. 이 사회에는 분명 유리천장이 존재한다. 그렇다고 남 탓, 세상 탓, 환경 탓만 할 수는 없지 않은가. 차라리 그 시간에 세상을 향해 미소 짓는 연습이라도 한 번 더 하는 것이 어떨까.

오늘도 열심히 자신의 운명을 개척하는 사람들은
다이아몬드 수저를 물고 있는 사람들이다.

맹모삼천지교

일요일 밤 12시가 다 된 시각에 대치동을 지나가다 깜짝
놀랐다. 수많은 차량들이 두 개의 차선을 점령하고 주차
되어 있었는데 학원 수업이 끝나면 아이들을 픽업해 가
기 위한 차량들이란 것이다. 일요일에도 밤늦게까지 고
생하는 아이들도 불쌍하지만 그 아이들을 데리러 다니는
부모들의 정성도 참 대단하다. 실로 맹모삼천지교가 생
각나는 순간이었다.

우리나라에 저리도 맹모들은 많은데
정작 맹자가 나오지 않는 이유는 무엇인가.

인위적인 재앙

직업인이라면 자신의 직업에 충실하고 자신에게 주어진 일을 더 잘 해내기 위해 끊임 없이 노력한다.

한때 노래 잘하는 가수를 TV에서 보기 어려운 것이 불편한 진실이었다. 가수라면 노래를 잘해야 하는 것은 당연한 일 아닌가. 그래서 요즘 TV에서 유행하는 음악 관련 프로그램을 보면 노래 잘하는 가수들이 물을 만난 것 같다. 그들의 노래를 듣고 있으면 이들의 재능에 감동이 밀려온다.

그러나 정치가 직업인 정치인들은 기본적인 직업의식도 결여된 사람들이다. 정치인이라면 정치를 잘해야 한다. 그래서 마키아벨리는 정치는 비도덕적인 것이 아니라 무도덕적인 것이라고 했는지 모른다. 그런 자들에게 국가 권력을 송두리째 넘겨준 것은 모두 우리가 자처한 일이다. 국민의 편에 선 진짜 정치인이 보이지 않는다.

똑같은 물을 마시더라도 소가 마시면 우유를 만들고 뱀이 마시면 독을 만든다. 내가 내는 세금이 독이 아니라 우유가 되어 국민들에게 돌아왔으면 좋겠다. 요즘 정말 세금내기가 아깝다는 생각이 든다.

4

개인

날

아빠 꿈은?

딸아이가 물었다.
"아빠 어릴 때 꿈이 뭐였어?"

"꿈?!!!!!!!!!!!!!!!!"
"좋은 아빠가 되는 거."

"에이, 그건 기본이고, 그런 거 말고!"

그 기본이 이리 힘들 줄 몰랐다.

TV 리모컨 쟁탈전

딸아이와 치열한 쟁탈전 끝에 TV 리모컨을 쟁취했다. 덕분에 편한 마음으로 좋아하는 프로야구 경기를 시청할 수 있었다. 경기가 끝나고 드라마가 시작되었다. 아버지가 돌아가시고 장례식장에서 딸이 슬퍼하는 장면이 나온다.

"아빠 나중에 죽으면 너도 저렇게 장례 잘 치러 줄 거지?"

"물론이지. 관 속에다 TV 리모컨도 꼭 넣어 줄게."
단단히 삐친 모양이다.

내가 응원하는 프로야구팀도 지고,
딸아이에게 인심도 잃고,
에고, 이래저래 모양 빠지는 날이다.

아빠도

아침에 기분이 좋지 않아 보였던 딸아이가 종일 마음에
걸려 퇴근길에 마카롱을 샀다. 초콜릿과 같은 달달한 과
자는 별로 좋아하지 않는 딸아이가 거의 광적으로 좋아
하는 게 바로 마카롱이다. 그런데 비싸도 너무 비싸다.
조그만 과자 두세 개가 거의 점심식사 값이라니.

예쁘게 포장된 마카롱을 받아든 딸아이가 하나를 꺼내
내게 건넨다.

"아빠도 하나 먹어."

"아니야, 아빠는 괜찮아. 너 다 먹어."
그랬더니 다행이라는 듯 환한 웃음을 지으며 자기 방으
로 들어간다.

어머니는 짜장면이 싫다고 하셨던가!
'어머님께'라는 노래의 가사가 생각나는 순간이다.

사실, 아빠도 마카롱 좋아하는데….

마음으로 찍는 사진

가족과 싱가포르를 여행할 때였다.

나는 방문지마다 거의 무의식적으로 핸드폰을 꺼내 사진
을 찍어댔다.

같은 일행 중에 어머니와 아들이 있었다.

센토사 섬의 아름다운 풍광을 사진에 담고 있는데 옆에
있던 그 모자의 대화가 들려왔다.

"○○야, 사진 찍기보다는 먼저 눈으로 사진을 찍고, 그
다음에 마음으로 사진을 찍고, 그리고 나서 카메라로 찍
는 게 어떨까? 마음으로 찍는 사진이 진짜란다. 그래야
기억에 오래 남는 거야."

나는 슬그머니 뒤로 물러났다가 핸드폰을 집어 넣고 다
시 앞에 서서 풍광을 둘러봤다. 그제서야 알게 되었다.
마음으로 사진을 찍는다는 의미를….

그분 덕분에 어깨너머로 좋은 것을 배웠다.

아버지라는
이름으로

나는 어릴 적 할머니, 어머니, 두 여동생, 이렇게 여자들 틈에서 살았다. 내 성격이 소심하고 꼼꼼한 이유다.

어린 시절, 아버지는 중동 파견 기술자로 오랫동안 집을 떠나 계셨다. 나는 아버지와 함께 놀러 간 적도, 목욕탕에 간 적도, 공놀이를 한 적도, 산책을 한 적도 없다. 아버지와 관련된 내 유년시절은 그렇게 텅 비어 있었다. 보석 같은 어린 시절을 빼앗긴 느낌 속에 살아왔다.

요즘 가장 큰 기쁨은 내 아이들이 자라는 것을 지켜보는 것이다. 딸아이도 자라면서 무척이나 예뻐 행복했는데

초등학교 3학년 아들 녀석은 또 다른 행복을 준다. 이 녀석과 함께하는 모든 순간이 보석 같다.

지금 나는 더이상 아버지에게 서운함을 느끼지 않는다. 나의 아버지는 혼자 먼 이국땅에서 일하시느라 이런 행복을 전혀 누리지 못하셨다. 올망졸망 가장 예쁠 때 우리 삼남매의 어린 모습을 눈에 담지 못하셨다. 내가 아빠가 되고 이제서야 아버지의 마음을 알게 되었으니….

그토록 넓어 보였던 내 아버지의 등판은 지금 조그만 내 아들 녀석을 업기에도 너무 좁아 보인다.

육개장의 참맛

나는 어릴 때 편식이 심해서 참 많이도 혼나야 했다.

"왜정 때는 말이야…."

"6·25 전쟁 때 피난살이는 어땠는지 알아?

서울에서 부산까지 걸어서 피난을 가느라고…."

"우리 때는 보릿고개가 있어서…."

어른들이 꾸중을 할 때마다 등장하는 단골 레퍼토리들이

정말 듣기 싫었다.

내 편식 습관은 군대에 와서야 고칠 수 있었다.

입맛 까다로운 아들 녀석을 볼 때마다 그렇게 듣기 싫었던 잔소리가 나도 모르게 자꾸 튀어나온다.

"아빠가 어릴 때는 말이야, 이런 거 구경도 못해 봤어."

그런 아들 녀석이 좋아하는 몇 안 되는 메뉴 중 하나가 육개장이다. 몇 해 전 나의 할머니께서 돌아가셨을 때 며칠 동안 장례식장에서 육개장을 먹더니 그 맛을 알아버린 모양이다. 결혼식장에 함께 가자면 꿈쩍도 안 하는 녀석이 장례식장에 함께 가자면 순순히 따라나서는 이유이다. 이 이야기를 들으신 장모님이 육개장을 만들어 보내셨다.

아들 녀석이 한 숟갈 떠먹더니 하는 말이,

"역시 육개장은 상갓집에서 먹어야 제 맛이야."

초등학교 3학년 녀석이 세상 맛을 너무 일찍 알아 버린 게 아닐까.

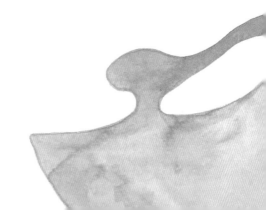

 붕어빵 부자

아들이 저녁 내내 고민을 하고 있다.

빈 우유 통 치우는 일을 맡았는데 방과 후 깜박 잊고 그냥
왔다는 것이다. 아침에 일찍 가서 치우면 된다고 해도, 당
일에 해야 할 일을 다음날에 하면 벌점을 받는단다. 요즘
학교에서는 잘하면 별점을, 못하면 벌점을 준다.

아침에 등교하자마자 선생님께 먼저 고백하고 나서 우유
통을 치웠다고 한다. 그런데 선생님은 아들에게 벌점을 주
지 않으셨고, 슬쩍 넘어가려던 아이에게 벌점을 주셨단다.
고지식한 면이 답답하긴 해도 나를 쏙 빼닮은 아들이 좋다.

삶의 품격

"아빠 어떤 선수가 제일 좋아?"
요즘 부쩍 프로야구에 빠져 있는 아들이 물었다.

"이승엽 선수."
"뭐? 아빠 LG트윈스 팬인데 다른 팀 선수를 좋아해도 되는 거야?"
"상대 팀이지만 야구도 잘하고, 인성도 좋고, 겸손하고, 자기 관리도 잘하니 좋아하는 것을 넘어서 존경하지."
"존경한다고? 아빠보다도 어린데 존경한다고?"
"그럼, 나이를 떠나서 본받을 게 많으니 존경할 만하지."
"이해가 안 돼."
"세상은 네 편 내 편 가르는 것보다 더 중요한 것들이 있거든."

아파트 위층,
이웃사촌이 산다

위층에 살던 노부부가 이사를 간 후 젊은 부부가 새로 이
사를 왔다. 그런데 위층 주인이 바뀌고는 거실 전등이 부
르르 떨릴 정도로 진동과 소음이 너무 심해졌다. 참다
못해 말리는 아내를 뿌리치고 한마디 하겠다며 위층으로
뛰어 올라갔다.

초인종을 누르니 대여섯 살과 서너 살쯤 되어 보이는 사내아이 둘이 문을 열어주면서 겁을 먹은 목소리로 말했다.

"아저씨, 너무 시끄러워서 올라오셨죠?"
그 뒤로 앞치마를 두른 아이들 엄마가 뛰어 나오면서 연신 '죄송하다'고 고개를 주억거렸다. 전에 살던 곳에서도 아래층에서 올라오는 일이 잦아서 이곳으로 이사를 한 거란다.
"아뇨, 아뇨, 새로 이사를 오셨다기에 인사드리러 왔어요. 아이들 기죽이지 말고 맘껏 뛰어 놀게 하세요. 저희도 아이들에게 그런 스트레스 주기 싫어서 1층에 사는 거거든요. 대신 밤늦게만 조심해주면 될 것 같아요."

집으로 돌아온 내게 아내가 먼저 아는 체를 하며 웃었다.
"큰소리 못쳤지? 내 그럴 줄 알았어."

그랬던 꼬맹이가 몇 년이 흘러 곧 중학생이 된다. 위층
아이들 엄마는 아내에게 '언니'라 부르며 잘 따른다. 집을
팔 때는 이해심 많은 아래층을 내세워 프리미엄 5천만 원
을 붙여서 팔 거라고 하면서 때마다 정성 가득한 선물도
준비한다. 지난 성탄에도 케이크와 함께 예쁜 손 카드를
보내왔다.

○○이네 가족
주님의 크신 사랑과 축복이
넘치는 따뜻한 계절
기쁨 가득한 크리스마스
보내길
아랫집 언니 가족 모두 건강하고
행복한 새해 되세요.
2015. 12. 19 윗집 ○○이네...................

아파트에도 이웃사촌이 산다.

어쩔 수 없는
대한민국 학부모

겨우 눈은 떴지만 몸살기에 밤새 몽둥이로 두드려 맞은 듯 온몸이 쑤시는 아침이다. 며칠째 비타민 챙겨 먹는 것을 걸러서 피곤한 건지, 오늘 줄줄이 기다리고 있을 중요한 회의들이 부담이 되어 그런 건지 모르겠다. 현관문을 나서는데 아들 녀석이 달려 와 모범상장을 보여준다.
"와! 상 받았어? 대단하네."
머리를 쓰다듬어 주고 지하철역으로 향했다. 출근 후 한참 일하고 있는데 아내에게서 문자메시지가 왔다.

 어제 선생님 만났어요. 이 상은 한 반에 한 명만 주는 거래요. 선생님은 누구에게 상을 줄지 전혀 고민하지 않았고, 다른 아이는 떠오르지 않더라고 하시던데요.

갑자기 몸살기는 싹 가시고 콜라를 마신 후 트림이 시원하게 나오는 것 같았다. 입을 가리고 참으려 해도 자꾸 웃음이 삐져나온다. 나는 종일 동료들로부터 같은 말을 들어야 했다.

"무슨 좋은 일 있어요? 오늘은 얼굴이 훤하시네요!"

"왜 이렇게 자꾸 웃으세요?"

역시 내 아이들이 내 비타민이다.

몹쓸 주름

얼마 전부터 뿌옇게 보이신다는 어머니를 모시고 안과에 들렀다가 결국 백내장 수술을 해 드렸다. 붕대를 푼 날 저녁 어머니 댁에 갔다. 그런데 어째 문을 열어주시는 어머니의 모습이 우울해 보였다.

"표정이 왜 이리 어두우세요? 수술했는데도 잘 안 보이세요?"

"아니, 너무 잘 보여. 너무 잘 보여서 탈이야. 내 얼굴에 이렇게 자글자글 주름이 많은지 몰랐다."

세상에는 꼭 보지 않아도 될 것들, 안 보느니만 못한 것들이 많이 있는데 그 중에 주름도 포함되는 것 같다.

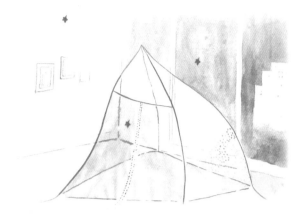

나는 아빠다 II

모기 때문에 잠을 설쳤다. 아이가 모기에 물리면 자기도 모르게 긁어서 붓기도 하고 상처가 덧나기도 한다. 알러 지처럼 한참 동안 병원 신세를 지기도 하고 흉터로 남기 도·한다. 작은 모기 한 마리 때문에 나비효과를 톡톡히 겪을 수도 있다.

지난밤,
식구들은 멀쩡하고 나만 모기에 물렸다.
다행이다.

버스 안에서

퇴근길이라 만원버스였다. 앞에 앉으신 점퍼차림
의 노신사분이 말도 없이 손을 쑥 뻗더니 내 컴퓨
터 가방을 잡아끌어 본인 무릎 위에 놓았다. 그러
고는 초점 없는 눈으로 다시 창밖을 내다보셨다.
눈 깜짝할 새에 벌어진 일이었다. 괜찮다고 하고
가방을 다시 달라고 하려다 그냥 두었다.

깊게 파인 주름이 아버지를 닮으셨다.

이제야
알게 된 마음

아빠라는 이름.
이리 무거운 짐을 지고
내 아버지는 불평 한마디 없이,
힘들다는 내색 한 번 안 하시고 살아오셨구나.
우리들을 향해 짓는 미소만 보았지
깊게 패인 주름은 보지 못했다.
나에겐 너무 가슴 아픈 이름.
아버지.

조금만 더

사람에게 받은 상처는 사람에게 위로를 받는 것이라고
했다. 위로 받고 싶을 때, 마음에 뚫린 큰 구멍을 메워야
할 때 가장 먼저 생각나는 사람은 역시 가족이다. 나뭇잎
을 따기 위해 까치발로 애쓰는 아들 모습을 카메라에 담
는 동안 가슴이 먹먹해졌다. 저 아이도 아빠처럼, 엄마처
럼 쉽지 않은 세상을 살아가야겠지.
잘 이겨내야 할 텐데….

그래도 좋은 사람들과 좋은 관계를 많이 맺으며 살아가
길 기도해 본다. 무엇보다 먼저 남들에게 '좋은 사람'이
되어 주길.

떨
림

무뚝뚝함이 묻어나 웬만한 남자아이 저리 가라 할 만하
던 딸아이가 중학교 1학년, 한참 사춘기를 겪고 있을 때
였다. 송구영신 예배에 가려고 교회 주차장에 차를 세우
고 걸어가는데 옆에서 걷다가 살며시 내 손을 잡는 것이
었다. 처음 있는 일이었다. 가슴이 떨렸다.

커서 뭐가 되고 싶어?

"우리 아들은 커서 뭐가 되고 싶어?"

"어른."

"왜?"

"그래야 키가 크니까."

"왜 키가 크고 싶은데?"

"그래야 어른이 되니까."

"……."

언제부터인지 아들과 대화할 때 자
꾸 말리는 느낌이 든다.

10시 5분 전

아들녀석이 초등학교 1학년 때 일이다. 학교에서 시험을
봤는데 하나 틀렸다는 것이다.

틀린 문제는 '10시 5분 전은 몇 시 몇 분입니까?'였다.
정답은 '9시 55분'인데 아들이 쓴 답은 '10시 4분'이었다.

'정말 그리 생각할 수도 있겠구나….'

좋은 부모가 되려면 뭔가 멋있게 대답을 해주고 싶은데
이럴 때 떠오르는 생각이 없어 정말 난감하다.

아무 일도 없어?

"오늘 아무 일도 없어?"

몇 번이고 확인했는데 정말 아무 일도 없는 토요일이었
다. 도대체 얼마만인지. 나만의 시간을 가질 수 있어 좋
았다. 빈둥거리며 TV를 보다가 향긋한 커피를 마시며 책
을 꺼내 들었다. 그런데 아무 일이 없다 하니 왠지 모르
게 자꾸 불안함이 스며들었다. 오후가 되면서는 아이들
과 뭐라도 해야 할 것 같아서 다시 아내에게 물었다.

"정말 오늘 아무 일도 없어?"

"참, 오늘 한성백제문화제 하는데…."

"그래, 그럼 그렇지. 얼른 다녀오자."

턱이 새는 나이

아내가 큰맘 먹고 사 준 새 양복을 입고 출근한 날이었
다. 점심 때 동료들과 식사를 하다가 찌개 국물을 바지에
투두둑 흘려버렸다. 셔츠며 넥타이에 요즘 부쩍 음식물과
커피를 많이 흘리는 내게 아내가 해 준 말이 생각났다.

"나이가 들면 턱이 새는 거야."

아직 그럴 나이는 아닌데…
지난 번 양말을 짝짝이로 신고 나왔던 것도 그래서인가.

불금에 대한
개인적인 해석

불금?
불타는 금요일이라고?

그리 포장되기도 하지만
하루하루가 전쟁 중인 직장인에게는
불쾌한 금요일
불안한 금요일
불쌍한 금요일
불만 가득한 금요일
불미스러운 금요일인 경우가 많다.

내키지 않는 술자리를 뿌리치지 못하고 2차
까지 끌려갔다가 귀가하는 길, 이제 저 문만
열면 아이들의 환한 웃음을 볼 수 있다.
내 불금은 이 현관문을 열면서 시작된다.

제발 불 꺼진 금요일만은 아니었으면 좋겠다.

텅 빈 거실

집에 있을 때 가장 많이 머무르는 공간이 거실이다. 똑같은 공간이지만 한밤중과 새벽에 맞는 거실의 이미지는 사뭇 다르다.

하루를 열심히 살아낸 가족들이 모두 잠든 후 마지막으로 불을 끌 때의 거실의 이미지는 안식과 평안함이다. 그러나 몇 시간 후 새벽 여명에 일어나 출근 준비를 위해 불을 켤 때의 거실은 또 하나의 전투를 준비하기 위해 치열함을 예열하는 장소다.

휴일 아침, 가족들 모두 제각각 외출해버리고 나홀로 덩그라니 남겨진 거실은 가장 고독한 장소가 되기도 한다.

무엇을 위하여

부모님 편안히 모실게요.
조금만 기다려 주세요.

조금만 더 기다려 주세요.
아이들 다 가르치고 시집 장가 보내고요.

조금만 더 기다려 주세요.
대출금만 갚고요.

화들짝 놀라 정신을 차렸을 땐
나에게 주어진 시간도 얼마 남지 않게 된다.
부모님은 이미 안 계신다.
바로 지금 해야 한다.
답은 '지금'이다.

아내의 재테크론

아내가 집에 놀러온 동네 아주머니들과 나눈 대화내용을 듣게 되었다. 대화 내용은 백 퍼센트 성공하는 재테크 방법이었다.
아내가 말했다.

"제가 백 퍼센트 성공하는 재테크 방법을 알려드릴게요. 제 남편이 움직이는 것과 반대 방향으로 움직이면 돼요. 주식을 팔 때 주식을 사세요. 그러면 성공합니다. 현재까지 확률 백 퍼센트예요."

갑자기 소심해지면서 볼멘소리로 중얼거렸다.
'여보, 그래도 우리 아파트 담보대출 많이 갚았잖아….'

우문현답

갖가지 여론조사 기관이 발표하는 자료들이 있지만 국민
정서와 여론을 쉽게 알 수 있는 방법이 있다. 택시기사님
에게 물어보면 된다. 대선이 가까울 때는 대통령이 누가
될지도 알 수 있다. 종일 택시 안에서 뉴스를 많이 듣고
많은 사람을 만나며 많은 대화를 나누다 보니 웬만한 기
사님들의 시사상식과 정치적 식견은 평균 이상이다. 지
난 대선 때도 택시를 타고 가다가 심심해서 기사님께 질
문을 했더니 기사님은 주저 없이 대답하셨다.

"이번에는 누가 대통령이 될 것 같으세요?"
"그야 표를 많이 얻는 사람이 되겠죠."

산적소녀

산적 혹은 조폭으로 불릴 만한 외모를 가진 친구가 있다. 젊은 시절에도 범상치 않은 외모 때문에 멀쩡히 길을 가다가 경찰에게 검문을 당하기 일쑤였다. 그런데 이 친구가 요즘 SNS에 꽃사진만 올린다.

아무리 생각해도 너무 안 어울려서 물었다.
"인마, 넌 왜 안 어울리게 자꾸 꽃사진만 올리냐?"
"예쁘잖아."

격투기만 좋아할 것 같은 친구의 마음 속엔 소녀 감성이 들어 앉아 있었다.

꿈도
디지털시대

간밤에 스마트폰을 새로 사는 꿈을 꿨다. 새로운 폰의 조작법을 익히는 도중에 때마침 걸려온 보이스피싱에 걸려 5백만 원을 사기당했다. 십 년 전 집에 도둑이 들어 결혼 패물과 아이 돌잔치로 받은 금반지를 모두 잃어버렸을 때 경찰은 별로 도움이 되지 않았던 것이 꿈에서도 생각나 내가 직접 범인들을 잡으러 다니다가 꿈에서 깼다.
어이가 없어 아내에게 말했더니 비상금 5백만 원 감춰둔 거 아니냐고 다그친다.

뭔 말을 못해….

도와주세요

추적추적 가랑비가 오는 날이었다. 한 아주머니가 앞을 막고 말을 걸었다. 행색을 보니 노숙인인듯 했다. 그냥 무시하고 가려는데 그 뒤에 내 아들만한 여자아이가 서 있는 것이 보였다. 몇 발자국 걸음을 옮기다 자꾸 이 아이가 눈에 밟혀 다시 돌아가서 왜 그러는지 이유를 물었다. 집이 지방인데 차비가 없다고 5천 원만 달라는 것이었다. 나는 지갑에서 만 원짜리 지폐를 꺼내 아주머니에게 건넸다.

차비가 없다는 말을 믿지는 않았지만 그래도 만 원이면 아이와 한 끼 식사는 할 수 있을 것 같았다.

머리를 쓰라고

아들녀석이 유치원 다닐 때는 거의 매일 함께 레슬링을
했다. 내가 두 팔을 잡으니 빠져나오려고 낑낑대고 아둥
바둥거리는 모습이 귀여웠다. 아빠한테 힘으로는 안 된
다는 것을 알면서도 포기하지 않는 모습이 예뻤다. 한 번
은 '머리를 좀 써 봐'라고 했더니 이마로 내 얼굴을 사정
없이 들이받았다. 순간 빛이 번쩍하더니 아들은 내 팔을
빠져 나갔고 내 눈은 밤탱이가 되었다.

경제적 논리가
최선일까?

내가 설거지를 하면 아내보다 시간도 두 배 이상 걸리고 물도 두 배 이상 소모된다. 엄청 비효율적이고 비생산적인 일이다. 그러나 외출 후에 정리된 부엌을 보고 아내가 느끼는 흐뭇함과 행복함은 아무리 돈을 많이 지불해도 사기 어렵다. 세상에는 경제적 논리로 설명하기 어려운 일이 많다. 경제상황이 어렵다고 합리적 경영을 내세워 함께 동고동락하던 직원들을 하루아침에 회사 밖으로 내보내는 것을 가장 먼저 생각하는 기업들에게 과연 어떤 미래가 기다리고 있을까.

좋은 질문이네

"임신은 어떻게 되는 거야?"
"왜 부자와 가난한 사람이 있어?"
아들 녀석이 부쩍 질문이 많아졌다.

아이들이 자라면서 던지는 질문에는 얼마든지 지혜롭게
잘 대답할 수 있을 줄 알았다. 그런데 얼마 전에도 갑자기
'자유주의와 민주주의의 차이점이 뭐야?'라고 물어봐서 숨
이 턱 막혔었다.

딸아이가 유치원에 다닐 때에는 더 어려운 질문을 했었다.
"아빠, 시간이 뭐야?"

아이들에게 모든 질문에 즉각적인 답을 얻는 것도 좋지
만 인생은 질문 자체로도 의미 있는 것이라고 설명하면
이해할까?

삶과 죽음

몇 달만에 물리치료를 받으러 양한방 협진 병원에 들렀
다가 충격적인 소식을 들었다.
내 주치의 선생님이 얼마 전에 돌아가셨다는 것이었다.
대장암이었단다.
나보다 젊은 분인데…
아이들도 어린데…
투병한 지 삼 년도 넘었다고 한다.

물리치료를 위해 신경외과로 가니 신경외과 원장님도 한
달 전에 췌장암으로 돌아가셨단다. 하루 종일 온몸에 힘
이 빠지고 식사도 제대로 할 수가 없었다. 몇 년 동안 나
는 나보다 더 아픈 분들에게 보살핌을 받아온 거였다.

삶과 죽음은 동전의 양면처럼 늘 가까이 붙어 다닌다.

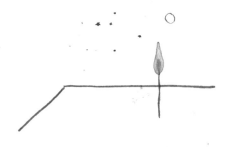

벌써 일 년

한 해의 마지막 날 밤,
책상에 앉아 힘없이 나풀거리는 향초를 켜
놓고 나를 돌아보는 시간을 갖는다.

재벌 회장에게도, 편의점 아르바이트 청년
에게도, 형 집행을 앞 둔 사형수에게도 하루
24시간은 공평하게 주어진다. 시간은 상황
에 따라 빠르게 혹은 더디게 느껴질 뿐이다.

벌써 1년
올 한 해는 내게 빨랐는지 아니면
더뎠는지를 돌아본다.

앞으로의 1년은 또 내게 어떤 시간들일까.

어른이고 싶은 날

초판 1쇄 찍은날 · 2016년 12월 7일
초판 1쇄 펴낸날 · 2016년 12월 13일

지은이 · 이주형
펴낸이 · 김순일
편   집 · 박민정
마케팅 · 임형오
그림 / 디자인 · 선보미
펴낸곳 · 미래문화사
신고번호 · 제2014-000151호
신고일자 · 1976년 10월 19일
주소 · 경기도 고양시 덕양구 삼송로 139번길 7-5, 1F
전화 · 02-715-4507 / 713-6647
팩스 · 02-713-4805
전자우편 · mirae715@hanmail.net
홈페이지 · www.miraepub.co.kr
           http://blog.naver.com/miraepub

ISBN 978-89-7299-475-6 03810